D1429838

rowohlts monographien
begründet von Kurt Kusenberg
herausgegeben von
Klaus Schröter

Peter Weiss

mit Selbstzeugnissen
und Bilddokumenten
dargestellt von
Jochen Vogt

Rowohlt

Dieser Band wurde eigens für «rowohlts monographien» geschrieben
Den Anhang besorgte der Autor
Herausgeber: Klaus Schröter
Mitarbeit: Uwe Naumann
Assistenz: Erika Ahlers
Schlußredaktion: Volker Weigold
Umschlagentwurf: Werner Rebhuhn
Vorderseite: Peter Weiss, 1979 (Foto Sepp Hiekisch)
Rückseite: «Marat»-Inszenierung, Schiller-Theater Berlin 1964
(Ullstein-Bilderdienst)

Veröffentlicht im Rowohlt Taschenbuch Verlag GmbH,
Reinbek bei Hamburg, Juni 1987

Satz Times (Linotron 202)
Gesamtherstellung Clausen & Bosse, Leck
Printed in Germany
980-ISBN 3 499 50367 0

Inhalt

Peter Weiss, um 1943

Auf der Suche nach dem «festen Punkt»

Ich war nie Deutscher, hat Peter Weiss 1979, zweieinhalb Jahre vor seinem Tod, in einem Interview[1]* gesagt – und in diesen vier Worten klingt mehr an als die Tatsache, daß er Inhaber eines tschechoslowakischen und – seit 1946 – eines schwedischen Passes war. Jüdische Vorfahren aus Ungarn und der Slowakei, alemannische aus dem Schwarzwald, die Geburt in der Nähe von Berlin, Staatsbürgerschaft der Tschechoslowakischen Republik, Kindheit und Jugend in Bremen und Berlin, Lehr- und Wanderjahre in der Schweiz und in Prag, Emigration nach England und später nach Schweden, die schriftstellerische Arbeit in Kontakt mit der Bundesrepublik wie mit der DDR, das zunehmende Engagement für Befreiungsbewegungen der Dritten Welt –: Wer Herkunft und Lebensweg so skizziert, muß kaum mehr begründen, warum er *sich abgewöhnt habe, Zugehörigkeit zu einer bestimmten Nation zu entwickeln*[2].

Oder doch? Weiss jedenfalls hat eben dies, als Erzähler und Essayist, aber auch als Dramatiker und Bildkünstler immer wieder getan. Genauer: Er hat diesen Lebensweg und seine Phasen – als biographische Reflexe historischer Krisen und Katastrophen – immer wieder problematisiert – aus dem Bedürfnis und mit dem Ziel, ein tragfähiges und erträgliches Selbstverständnis, seinen Standort als Privatperson wie als Künstler zu gewinnen.

Als Schlüssel zu diesem Zusammenhang kann ein knapper Text aus dem Jahre 1965 dienen: die vom Verleger Klaus Wagenbach erbetene literarische Ortsbeschreibung vertieft Weiss zu einer autobiographischen, ja geradezu existentiellen *Ortsbestimmung*. Seine realen Aufenthaltsorte sieht er im Rückblick als bloße *Durchgangsstellen*, ungeeignet, *einen festen Punkt in der Topographie meines Lebens zu bilden.* Sie alle *werden zu blinden Flecken, und nur eine Ortschaft, in der ich nur einen Tag lang war, bleibt bestehen.* Es ist dies *eine Ortschaft, für die ich bestimmt war und der ich entkam*[3]: Auschwitz, das Peter Weiss 1963 im Rahmen des Frankfurter Prozesses «gegen Mulka und andere» besucht hatte und das er nun entdeckt und deutet als den verborgenen und gleichwohl bestimmenden Bezugspunkt auch s e i n e r persönlichen Lebensgeschichte. Durch das in

* Die hochgestellten Ziffern verweisen auf die Anmerkungen S. 139f.

«. . . eine Ortschaft, für die ich bestimmt war und der ich entkam»: Konzentrationslager Auschwitz-Birkenau

Auschwitz, dem Gegen-Ort schlechthin, Geschehene ist für Weiss die Möglichkeit von Heimat – und eine Selbstdefinition aus heimatlicher *Zugehörigkeit*[4], wie sie etwa das Werk des Generationsgenossen Heinrich Böll grundiert – grundsätzlich negiert. Und dies nicht nur in historisch-abstraktem Sinn, insofern dieser Ortsname als Chiffre für die hunderttausendfache, gleichsam industriell vollzogene Vernichtung menschlichen Lebens und damit für die Entwertung und Auslöschung individueller Bindungen an Herkunft, Biographie und Nationalität steht. Lebenslang und zutiefst persönlich ist der Halbjude und Emigrant Peter Weiss vielmehr von der Erfahrung betroffen, daß die organisierte Massenvernichtung noch denjenigen stigmatisiert, der ihr durch Zufall entrinnen konnte. *Ich habe selbst nichts in dieser Ortschaft erfahren. Ich habe keine andere Beziehung zu ihr, als daß mein Name auf den Listen derer stand, die dorthin für immer übersiedelt werden sollten.*[5] Wie andere Emigranten fühlte er, daß das bloße Überlebthaben keineswegs auch eine neue Perspektive des Weiterlebens freisetzte, sondern viel eher die Erfahrung eines Vakuums, in dem die individuelle Existenz als zufällig-sinnloses Faktum labil und gefährdet bleibt.

Peter Weiss hat dies existentielle Problem verschiedentlich im Begriff der *Unzugehörigkeit*[6] gefaßt, der viele seiner Arbeiten leitmotivisch durchzieht und sie als wiederholte Versuche zu erkennen gibt, in der Abarbeitung dieses Traumas einen *festen Punkt* für seine private, politische und künstlerische Existenz zu gewinnen. Dabei wird ihm bewußt – und die folgenden Kapitel sollen dies nachzeichnen –, daß und wie die Problematik der *Unzugehörigkeit*, die der Text *Meine Ortschaft* in politischen Kategorien deutet, nicht erst durch Faschismus und Exil hervorgerufen, sondern aus weiter zurückliegenden lebensgeschichtlichen Ur-Erfahrungen gespeist wird.

Wer die literarischen und auch die bildnerischen Werke von Peter Weiss durchgeht, wird auf eine ganze Reihe von Versuchen stoßen, *Unzugehörigkeit* ästhetisch zu artikulieren, reflexiv zu deuten und im Interesse einer gesicherten Lebenspraxis zu überwinden. Seine oft genug tastenden, experimentellen Arbeiten in diversen Kunst-Medien und literarischen Gattungen, seine Auseinandersetzung mit sehr unterschiedlichen Stilmitteln, Theorien und Ideologien rücken damit in die Kontinuität einer lebenslangen Suche nach neuer und dauerhafter *Zugehörigkeit*.

«Zwischen Aufruhr und Unterwerfung». Kindheit und Jugend bis 1939

Rückblickend deutet Peter Weiss schon seine Herkunft als Faktor des späteren Unzugehörigkeitsgefühls: *Mein Vater war Kaufmann, Textilkaufmann. Er war Ungar, gehörte also bis zum Ende des Krieges Österreich-Ungarn an und optierte dann für die Tschechoslowakei, weil er in das Gebiet von Trencin kam, das an die Slowakei abgetreten wurde... Ich bin also gebürtiger Tschechoslowake, obgleich ich meine Kindheit in Deutschland verlebte – ich war nie Deutscher. Mein Vater lebte als tschechoslowakischer Bürger in Deutschland... Meine Mutter war gebürtige Schweizerin; aus Basel; der eine Teil ihrer Eltern stammte aus Straßburg... Sie sehen: ich komme aus einer Familie, die eigentlich nirgendwo herkommt, es gibt keinen Hintergrund. Ich habe weder die Eltern meines Vaters, noch habe ich die Eltern meiner Mutter jemals kennengelernt.*[7]

Frühe Fotografien zeigen den kleinen Peter zwischen den – wie er später sagen wird – *Portalfiguren*[8] seines Daseins: der *Vater* zumeist *in der Uniform des kaiserlich-königlichen Leutnants... vorm Zauntor in Nowawes, Berliner Straße 146, an meinem Geburtstag*. Die berufliche Etablierung des Vaters in einem eigenen Unternehmen führt schon 1918 zum ersten von zahlreichen – teils freiwilligen, teils erzwungenen – Ortswechseln. *Auf einem Foto aus dem Jahre 1920 zeige ich mich als Guerillero, in Bremen, wohin wir übersiedelt waren, im Garten der Grünenstraße, im Winkel der hohen Mauer und der von Efeu umwachsenen Laube, ich reite auf einem schwarzen Pferd, das auf einem Brett mit Rädchen steht, und halte ein Gewehr in der Hand, die Abendsonne wirft unsern langen Schatten auf den Kiesweg.*[9] Die ironische Selbstdeutung als Guerillakämpfer ist 1970 niedergeschrieben, am Ende eines Jahrzehnts, in dem der Autor Peter Weiss sich mit Theaterstücken und Proklamationen als publizistischer Kampfgenosse der Freiheitsbewegungen in Angola und Vietnam engagiert hatte. Doch schon zehn Jahre früher, noch vor Beginn jenes Politisierungsprozesses, hatte er schreibend versucht, Klarheit über die Bedingungen und Umstände seiner Kindheit und Jugend zu gewinnen. Man darf die *Erzählung* mit dem Titel *Abschied von den Eltern*, verfaßt 1960/61[10], auch als autobiographischen Bericht lesen – solange man nicht

«Portalfiguren meines Daseins»:
mit den Eltern in Nowawes, ca. 1918

vergißt, daß Autobiographie von Rang stets Deutung individuell erlebter Geschichte, nicht einfache Rekapitulation ihrer Fakten ist. So gelesen, zeichnet dieser Text in aussagekräftigen Szenen das Bild einer «gutbürgerlichen» Kindheit in Konventionen und Strukturen, die noch von der Gesellschaft des ausgehenden 19. Jahrhunderts vorgegeben waren – und uns aus der erziehungskritischen Literatur der Jahrhundertwende seit «Buddenbrooks» und «Unterm Rad» bekannt sind.

Die Kindheitsjahre in einer bürgerlich aufstrebenden Familie rücken bei Peter Weiss unter die Doppelperspektive von Sekurität und Bildungschancen einerseits, von erlittener Repression und zunehmender Vereinsamung andererseits; diese Kindheit ist ebenso normal wie monströs. Ihre Paradoxie bestimmt auch die erzählerische Struktur: autobiographisches Erzählen wird deutlich als mühsam-schmerzliche Lösung aus einer Erinnerungsblockade, die eine ungeliebte Vergangenheit verbirgt; und möglich wird es erst durch einen doppelten Verlust. *Meine Eltern starben beide*

Als «Guerillero» in Bremen, Grünenstraße, 1919/20

1959. Der Tod meines Vaters war der unmittelbare Anlaß zur Niederschrift[11], bestätigte Weiss später.

Die ersten Sätze dieser Niederschrift reflektieren die Schwierigkeit der Erinnerungsarbeit – und den existentiellen Verlust, der sie erst freigesetzt hat. *Ich habe oft versucht, mich mit der Gestalt meiner Mutter und der Gestalt meines Vaters auseinanderzusetzen, peilend zwischen Aufruhr und Unterwerfung. Nie habe ich das Wesen dieser beiden Portalfiguren meines Lebens fassen und deuten können. Bei ihrem fast gleichzeitigen Tod sah ich, wie tief entfremdet ich ihnen war. Die Trauer, die mich überkam, galt nicht ihnen, denn sie kannte ich kaum, die Trauer galt dem Versäumten, das meine Kindheit und Jugend mit gähnender Leere umgeben hatte.*[12]

Die Erinnerungen, die sich nun (vorbereitet durch Erfahrungen mit der Psychoanalyse seit Ende der vierziger Jahre) lösen und in einen Erzählfluß von fast 150 Seiten eingehen, sind zumeist szenische Bilder von großer Prägnanz, wie *aus einem alten Märchenbuch*; gleichsam *erstmalige*

Eindrücke, die ihre gläserne Durchsichtigkeit und Schärfe bewahrt haben und in der distanzierenden Deutung des Erzählers zusätzliche Aussagekraft gewinnen. Im *Bild meiner Mutter*, wie es aus frühkindlichem Vorbewußtsein auftaucht, wird die lebenslange Ambivalenz der Beziehung schockhaft erfahren: *Ich flog zu diesem Gesicht empor, gehoben von ihren Armen, die alle Räume durchmessen konnten. Das Gesicht nahm mich auf und stieß mich von sich. Aus der großen, warmen Masse des Gesichts, mit den dunklen Augen, wurde plötzlich eine Wolfsfratze mit drohenden Zähnen. Aus den heißen, weißen Brüsten züngelten, wo eben noch tropfende Milchdrüsen waren, Schlangenköpfchen hervor... Alles dröhnte und wogte um die Gestalt meiner Mutter. Ich versuchte, ihrer Gewalt zu entgehen, indem ich die Augen schloß und die Lippen über meiner Stimme zusammenpreßte.*[13]

Das Ausgeliefertsein an eine übermächtige *Gewalt*, das reaktive Verstummen und die Flucht nach innen zählen zu den Urerfahrungen dieses Kindes. Dabei ist es, anders als sonst so oft, nicht die väterliche Autorität, unter der das Kind leidet. Die Mutter, auf die sich die kreatürlichen Nähewünsche des Kindes richten, ist zumindest in dieser Familie auch Repräsentantin von Realität und Repression, eine widersprüchliche Doppelfigur: *Wenn meine Mutter, herbeigerufen durch meinen Schrei, an mein Bett kam und mich aufrichtete und mich in ihre Arme schloß, verging das Unheimliche, zu dessen Erscheinen sie selbst beigetragen hatte: War sie meine Bedroherin, so war sie gleichzeitig meine Retterin, sie entzog mit der einen Hand und gab mit der anderen, und hielt mich dadurch in ständiger Spannung, fast war es als ersehnte ich das Unheimliche, als fand ich einen gewissen Genuß an seinen Qualen, da ich hinterher die Erleichterung auskosten konnte.*[14]

Frieda Weiss muß in der Tat eine kraftvolle und eigenwillige Persönlichkeit gewesen sein. 1885 war sie in Basel geboren[15], wo ihr Vater Gustav Hummel, aus dem Schwarzwald gekommen, eine Uhren-Großhandlung betrieb; 1898 zog die Familie, zu der neben Frieda noch vier Töchter zählten, nach Straßburg. 1904 heiratete sie, nicht ohne familiären Druck, den zwanzig Jahre älteren Ernst Thierbach, Regierungsbaumeister in Düsseldorf und Bochum; 1905 und 1907 wurden die Söhne Arwed und Hans geboren. 1912, man wohnte inzwischen in Nowawes (Neubabelsberg) bei Berlin, erwirkte Frieda die Scheidung und lebte mit den beiden Söhnen und dem Dienstmädchen Auguste in der Spichernstraße. Im gleichen Jahr nahm eine ebenso unerwartete wie kurze Karriere ihren Beginn. Eher zufällig ins Deutsche Theater geraten, wurde sie dort von Max Reinhardt selbst «entdeckt» und für eine mögliche Theaterlaufbahn begeistert. Schon ein Jahr später spielte sie *in führenden Rollen auf Reinhardts Bühne*[16] – zum Beispiel, eher kurios, die Hauptfigur in einem Festspiel nach Eugène Delacroix' Gemälde «Die Freiheit führt das Volk», das man zum 100. Jahrestag der Völkerschlacht in Breslau aufführte; aber etwa

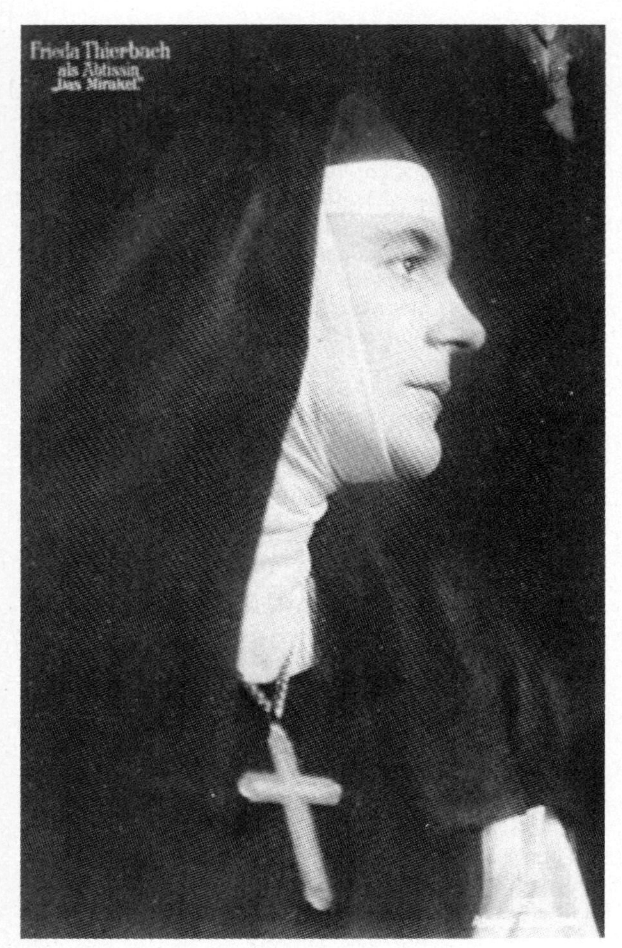

Frieda Thierbach in Vollmoellers «Mirakel», 1914

auch die Mutter in Lessings «Emilia Galotti» oder, besonders erfolgreich, die «Äbtissin» in Karl Gustav Vollmoellers Legendenspiel «Das Mirakel», das am 30. April 1914 unter Reinhardts Regie im Berliner Circus Busch Premiere hatte.[17] Ihr Gegenspieler als «Ritter» in diesem Stück war übrigens ein gewisser Wilhelm Murnau (bürgerlich: Friedrich Wilhelm Plumpe), der sich auch privat für seine attraktive und ungebundene Partnerin interessierte.[18] Ein junger ungarischer Textilkaufmann namens

Weiss, der häufiger im Parkett saß, war in dieser Hinsicht jedoch erfolgreicher.

Eugen, genannt Jenö, Weiss stammte aus dem ungarischen Dorf Nagy Emöke, wo sein Vater einen Getreidehandel betrieb. Er selber war als Textilkaufmann tätig, ehe er dann als Leutnant in die österreichisch-ungarische Armee eingezogen wurde. Schon im Juli 1915 bei Lemberg verwundet, gelangte er durch resolutes Eingreifen seiner herbeigereisten Verlobten ins Deutsche Reich, wo man noch im gleichen Jahr 1915 – nach jüdischem Ritus – die Ehe schloß. (Fünf Jahre später trat Eugen Weiss zur evangelischen Konfession über und ließ dann auch seine vier Kinder taufen.) Am 8. November 1916 wurde das erste von ihnen, Peter Ulrich Weiss, in Nowawes geboren. Daß der konventionelle Verzicht der Mutter auf ihr geliebtes Theater, durch Familiengründung und den Umzug in die polnische Etappe erzwungen, wo Eugen Weiss seinen Dienst wiederaufnahm, zu einer neurotischen Verhärtung des Familienlebens führte, ist eine naheliegende Vermutung. Sie spielte jetzt *eine große Mutterrolle*[19], erinnerte sich Peter Weiss 1979. Und schon in *Abschied von den Eltern* fragt sich der Erzähler: *Lag nicht der Grund ihrer späteren Unausgeglichenheit darin, daß sie sich ihrem eigentlichen Wirkungsgebiet entzogen hatte?*

Dagegen bleibt die zweite *Portalfigur* in der Erinnerung merkwürdig unscharf. *Von meinem Vater wußte ich nichts. Der stärkste Eindruck seines Wesens war seine Abwesenheit.* Den *seltenen Stunden des Einvernehmens*[20], spärlichen Erinnerungen an frühkindliche Nähe, steht die Erfahrung wachsender Fremdheit entgegen. *Mein Vater aber war ungreifbar, in sich verschlossen... Sein Geschlecht blieb verborgen, nie hat er sich mir nackt gezeigt.*[21] Dabei scheint es, gerade auch im Kontrast zu der *destruktiven Gewaltfigur*[22] der Mutter, als habe die väterliche Verschlossenheit einen empfindsamen Kern verborgen, als habe sein *unablässiges Mühen um die Erhaltung von Heim und Familie* eine verborgene *Zärtlichkeit für seine Kinder*[23] nicht zum Ausdruck kommen lassen.

Familiensoziologisch ist hier die typische Schwächung der Vaterautorität in der spätbürgerlichen Gesellschaft festzustellen, die auf paradoxe Weise mit dem – durch ökonomischen Erfolgszwang und Konvention motivierten – Bestreben verbunden ist, solche Autorität demonstrativ zu erhalten. *Auf das Drängen der Mutter hin machte er sich zuweilen zu einer züchtigenden Instanz, die seinem zurückhaltenden Wesen nicht entsprach. Wenn er nach der Arbeit nachhause kam, konnte es geschehen, daß die Mutter ihn mit dem Bericht meiner Schandtaten aufwiegelte... Endlich kam er ins Zimmer gestürzt, lief auf mich zu, packte mich und legte mich über sein Knie. Da er nicht stark war, taten seine Schläge nicht weh. Qualvoll bis zum Brechreiz war nur die demütigende Gemeinschaft, in der wir uns befanden. Er auf mich einschlagend, ich jammernd, lagen wir in einer schreckhaften Umarmung übereinander.* Aus der gewalttätigen *Ritual-*

handlung und der nicht weniger rituellen *Versöhnung* bei *Kuchen und... Schokolade mit Schlagsahne* erwächst das Schreckbild einer *von unbekannten höheren Mächten*[24] verhängten, zwanghaft-klebrigen Schicksalsgemeinschaft. Die paradoxe Verklammerung von konventionalisierter *Zugehörigkeit* und affektiver *Unzugehörigkeit* treibt das Kind schon früh in Fluchträume und phantastische Ersatzwelten. In der *Gartenlaube*, auf dem *Dachboden* entdeckt es *ein Reich, das nur mir gehörte, mein selbstgewähltes Exil*[25], in dem die Phantasie den Mangel an emotionaler Zuwendung ausgleichen soll.

Nur langsam erschließt sich dem behüteten Knaben die außerhäusliche Umwelt rings um die Bremer Grünenstraße, wo man, nahe dem Hafen, zunächst Wohnung genommen hatte, *der Exerzierplatz, auf dem der Freimarkt abgehalten wurde, wo die Speicher und Schuppen lagen, am Flußufer, und der Brunnen, an dem die Bierkutscher ihre Pferde tränkten...* Einige frühe Eindrücke aus diesem unbürgerlichen, zumindest gemischten Milieu prägen sich tief ein und werden später im Werk des Malers und Schriftstellers ihre motivische Spur hinterlassen. An der Hand des alten Dienstmädchens Auguste geht der *Drei- oder Vierjährige*[26] über die Plätze der Stadt, vorbei an dem rätselhaften *steinernen Riesen auf dem Marktplatz,* und zu den Stätten unbürgerlich-volkstümlicher Vergnügungen, wo Realität und Phantastik ein lustvolles Ineinander feiern: *mitten drinnen in der Masse des Lebens* treibt er *auf das Dudeln und Brausen des Jahrmarkts zu, in wachsendem Gedränge... und ich gehörte dazu, trieb umher zwischen den Gesichtern, Hüten und Armen, zwischen den schwankenden Trauben bunter Ballons, zwischen den großen, knatternden Fahnen, zwischen den wunderbar bemalten schnurrenden Karussellen, und auf die heisere Frage aus dem Kaspertheater, Seid ihr alle da, antwortete ich Ja im Chor unzähliger Stimmen, und als Kasper mit seiner Keule auf den Polizisten einhieb, schrie ich mit im kollektiven Gelächter... Und unter der Circuskuppel, von Trapez zu Trapez, schleuderte sich ein Luftwesen, überschlug sich, stieß schrille, tollkühne Rufe aus, kam aus der Höhe auf mich herabgeflogen, mit ausgebreiteten Armen, steil wehendem schwarzen Schopf, nah vor mir fing sie sich wieder auf und riß sich empor... Ihr verzücktes Lächeln in ihrem gelbbraunen, schrägäugigen Gesicht, ihr greller Vogelschrei brannte sich für immer in mich ein. Bald, bald würde ich ihr nachreisen, würde mit ihr kreuz und quer die Circuskuppel durchfliegen, bald, bald, nur noch kurze Zeit, ich gehöre dir, muß nur erst lesen und schreiben lernen...*[27]

Das wird langwierig und schmerzhaft genug; die Schule tritt neben die Familie, um deren Abrichtungswerk weiterzuführen, eine «Anstalt des brutalen Zwangs», wie Thomas Mann geschrieben hatte, die fast alles zu zerstören mag, was «an Gutem und Zartem in die Seele des Knaben gepflanzt» war.[28] Ebenso stellt sich, in bildhafter Rückerinnerung, die Volksschule in Bremen-Horn dar, die Peter Weiss seit 1923 besuchte:

Peter och Irene Weiss
Bremen 1921

Volksschule in Bremen-Horn, um 1925 – Peter Weiss links unten

...vorm Schultor floh ich zurück, ich lief zurück über die schwarze, hartgestampfte Schlacke des Schulhofs, ich lief auf der weißen, staubigen Allee zurück... hinein in die verwilderte Tiefe des Parks... es war der erste Schultag... es war der Anfang der Panik, ich wollte mich nicht fangen lassen... Man weiß, wie Institutionen auf solche Verweigerung zu reagieren pflegen: mit verschärftem Druck und Ausgrenzung des Unangepaßten. *Später an diesem Tag aber wurde ich von meiner Mutter zur Schule zurückgeleitet... und der Lehrer öffnete die Tür von innen, und drinnen wandten alle Gesichter sich mir entgegen, drinnen waren alle zur Gemeinschaft zusammengeschlossen und ich war der Zuspätgekommene... Der Lehrer rief mich auf, ich hatte seine Frage nicht verstanden, ich verstand nie seine Fragen... Am Ohr wurde ich hinauf vor die Wandtafel gezogen, und was ich dem Lehrer und der Klasse jetzt vormachen mußte war, wie man die geöffnete Hand unter den gehobenen Rohrstock hielt. Es war eine schwierige Übung, denn die Hand wollte nicht stillhalten unter dem Rohrstock, immer wieder zuckte sie zurück... und wieder pfiff der Stock herab, bis er endlich die Hand traf, und der brennende Striemen sich über die Handflächen hinzog... Dies war es, was ich in der Schule lernte, wie man die Hand unter den Rohrstock des Lehrers hielt.*[29]

Die frühen zwanziger Jahre standen für die Familie Weiss im Zeichen von Wohlstand und Wachstum. 1922 waren die Eltern mit Arwed und

Hans Thierbach, mit Peter und der 1920 in der Grünenstraße geborenen Tochter Irene Franziska in eine Mietvilla in der Marcusallee 45 gezogen, *in einem Park gelegen... ganz hochherrschaftlich*[30], und jedenfalls Indiz für ökonomischen Erfolg in schwierigen Zeiten. Eugen Weiss war nun persönlich haftender Gesellschafter der Textilhandelsgesellschaft Hoppe, Weiß & Co., die vor allem im Import-Export-Geschäft tätig war.[31] In der Marcusallee werden 1922 und 1924 Margit Beatrice und Alexander Weiss geboren; aber schon 1924/25 verlassen die beiden Söhne aus erster Ehe das Haus der Mutter. Für den jungen Peter bedeutet die neue, vornehmere Umgebung keine Verbesserung; der Nachbarsjunge *Friederle* und sein *Rudel von Verbündeten* erweisen sich, zumindest in der Erinnerung des Erzählers, auch außerhalb der Schule als gnadenlose Verfolger, die das Gefühl verstärken, stets nur Erleidender zu sein: *...wie gut sie erkannt hatten, daß ich ein Flüchtling war, und daß ich in ihrer Gewalt war.* So sind es wiederum die verborgenen Winkel des Bürgerhauses, sind es Phantasie und Krankheit, die vor dem überwältigenden Druck der Außenwelt schützen. In einsam-aggressiven Spielen jedoch ist der Gejagte *der höchste Befehlshaber*[32]; Lektüre bietet Gelegenheit, unterdrückte Impulse auszuleben. Der *kleine Mucki* aus einem Bilderbuch erscheint dem Erzähler rückblickend als sein *frühstes Abbild: in seinem bösartigen Gesichtsausdruck zeigte sich, was in meiner eigenen Erscheinung so wohlgebändigt war, in ihm tobte sich meine erstickte Angriffswut aus. Mucki der Abenteurer und Gewalttäter, das war ich viel mehr als der sorgfältig gekämmte Knabe in der Spitzenbluse beim Sonntagsspaziergang.*[33] Auch die expressiven Abbildungen im *Struwwelpeter* ermöglichen entlastende Projektion; Abenteuerbücher und gar die biblischen Geschichten, *alle diese Bilder von Verfolgungen und Torturen* provozieren jene masochistische Identifikation – *ich kostete alle Leiden der Erniedrigung aus*[34] –, die

«Mucki. Eine wunderliche Weltreise».
Bilderbuch von Arpad Schmidhammer, 1905

Mit den Eltern und den Schwestern Irene (links) und Margit, ca. 1925/26

Grundmuster für die späteren Bildwelten des Künstlers Peter Weiss bereitstellt.

Die Unternehmungen einer Pfadfindergruppe bieten dem Heranwachsenden die seltene Möglichkeit, die durch familiäre Wohlanständigkeit und schulisches Leiden blockierten Aggressionen auszuleben. In pubertären Szenen, aus Sadismen und *brennender Geilheit* gemischt, vollzieht sich für Augenblicke ein imaginärer Rollentausch: *Ich wurde zu Friederle... ich war von kurzem Glück erfüllt, daß ich zu den Starken gehören durfte, obgleich ich wußte, daß ich zu den Schwachen gehörte.* Auch diese Erfahrung der Austauschbarkeit von Täter und Opfer wird Weiss immer wieder aufgreifen, zuletzt in einer explizit politischen Deutung. Doch schon in jenem frühen Stadium ist der spielerisch-triebhafte Identitätswandel nicht unbeschwert, *irgendwo fühlte ich, daß ich Gewalt an mir selbst beging, doch ich erfaßte es nicht*[35]. Die sadomasochistische Fixierung jedenfalls, wie sie unter den beschriebenen Umständen mit einiger Regelmäßigkeit hervorgebracht und in *Abschied von den Eltern* festgehalten ist, muß als die lebensgeschichtliche Prägung und als die archetypi-

Als Pfadfinder in Berlin, ca. 1930

sche Bilderwelt verstanden werden, die der Künstler Peter Weiss durch Jahrzehnte hindurch, in immer neuen Anläufen und mit wechselnden Mitteln, bearbeiten wird.

Im Jahre 1929 verläßt die Familie, nach zwei weiteren Umzügen in Bremen, die Stadt. *Die Textilfirma meines Vaters wurde nach Berlin verlegt. Wir wohnten auch da wieder in einer sehr bürgerlichen... Gegend, in Neuwestend in der Preußenallee. Ich ging in das Heinrich-von-Kleist-Gymnasium in Schmargendorf, das vor allem von Kindern aus bürgerlichen Familien besucht war.* Die vergleichsweise liberale Atmosphäre dort und das Zusammentreffen mit Gleichgesinnten bewirkte eine gewisse Auflockerung des Familienzwangs und öffnete neue, faszinierende Ausblicke. *Da fing es an! Da fing es an mit einigen Freunden... die sehr interessiert waren an Kunst.* In der Familie des Übersetzers Hans Rothe, dessen Stiefsohn Ulrich Peters engster Freund wird, verfolgt man die neuesten Entwicklungen von Kunst und Literatur. Dort *hörte ich zum erstenmal, das muß 1930 gewesen sein, die «Dreigroschenoper» und «Aufstieg und Fall der Stadt Mahagonny» von Brecht/Weill.* Ausgedehnte Museumsbesuche, etwa im *Pergamonmuseum*, bilden den biographischen Wurzelgrund für die eindrucksvollen Eingangspassagen von Weiss' später *Ästhetik des Widerstands*: *genauso in meinem eigenen Leben.* Wie die drei Freunde in diesem Erzählwerk, so muß auch der junge Peter Weiss mit den seinen, vor allem mit Uli, unermüdlich, fast fanatisch seine *Kulturstudien* betrieben haben. *In diesen Jahren, zwischen 1931 und 1933, erwarb ich meine ganzen Literaturkenntnisse, den ganzen Hesse, Thomas Mann, den ganzen Brecht, alles lasen wir damals als ganz junge Leute.* 1932 besuchen die beiden Freunde eine Zeichenschule, und bald – beeindruckt *vor allem von Feininger, Nolde, Klee* – beginnt Peter Weiss zu malen, angeleitet im Unterricht des Professors Eugen Spiro. Neben Kohlezeichnungen entstehen *die ersten Aquarelle, z. B. «Berlin Friedrichstraße» (1933).*

In einer knappen Zeitspanne, und sozusagen zum letztmöglichen Termin, nahm der fünfzehn-, sechzehnjährige Peter Weiss die vielfältigen Anregungen auf, die die Kulturmetropole Berlin noch zu bieten hatte, das ganze Spektrum von bürgerlichem Kulturerbe, ästhetischer Avantgarde und Revolutionskunst: *Bach, die deutschen Expressionisten und Kubisten, Eisensteins «Potemkin».* Der gewaltsame Einschnitt, den die Machtergreifung Hitlers auch für die individuelle Weiterentwicklung bedeutete, wurde zunächst nicht in seiner ganzen Schärfe, sondern eher in atmosphärischen Veränderungen von Familienleben und Schulalltag erlebt; die eigene Gefährdung war dem Sohn eines jüdischen Vaters noch keineswegs klar. *Ich war Ausländer. Fertig. Nach dem 31. Januar 33, als der Deutschlehrer in der braunen Uniform in die Klasse kam mit dem Hitlergruß, mußten alle Kameraden aus den Bänken springen und den Gruß erwidern – daran durfte ich nicht teilnehmen, nicht weil ich Jude war, was keiner wußte, sondern weil ich Ausländer war. Ich mußte aufspringen, mußte strammstehen, durfte jedoch nicht die Hand zum Gruß erheben.*

Währenddessen plante der Vater bereits *die Auswanderung.* Wenn er den ältesten Sohn *vom Gymnasium* auf die *«Rackow»-Handelsschule* versetzt, dann nicht nur aus Zweifel an dessen schulischer Tüchtigkeit, sondern als pragmatische Vorbereitung auf eine ungewisse Zukunft. *Da lernte ich Schreibmaschine und Stenographie...*[36]

In *Abschied von den Eltern* – gerade hier wohl eher rückblickende Interpretation als Tatsachenbericht – wird dennoch eine *einschneidende*

Peter Weiss:
Berlin Friedrichstraße,
Aquarell, 1933

Veränderung notiert. Vor dem Hintergrund der *unendlichen Kolonnen* und im *Schein eines großen Feuers... über der Stadt* hört man eine *der Reden, die damals aus dem Lautsprecher brachen, und die... eine unfaßbare Gewalt besaßen;* in der schockhaften Erfahrung, als Jude von dieser kollektiven Berauschung, dem *Orkan der Freudenrufe über den Tod und die Selbstaufopferung*, ausgeschlossen zu sein, *war ich mit einem Male ganz auf der Seite der Unterlegenen und Ausgestoßenen, doch ich verstand noch nicht, daß dies meine Rettung war. Noch faßte ich nur meine Verlorenheit, meine Entwurzelung, noch war ich weit davon entfernt, mein Schicksal in eigene Hände zu nehmen und die Unzugehörigkeit zur Kraftquelle einer neuen Unabhängigkeit zu machen.*[37]

Erste künstlerische Gestaltungsversuche, *Poesie* unter dem Einfluß Georg Heyms und des jungen Brecht, dessen «Hauspostille» schon 1927 erschienen war, und *aquarellierte Zeichnungen* zu diesen Texten ließen noch keine definitive Entwicklungsrichtung – oder auch nur die Entscheidung für ein künstlerisches Medium – erkennen; *Schreiben und Malen wa-*

ren im Gleichgewicht. Im Rückblick erscheint dies als *Übergangsstadium*, und erst 1934, im *Jahr der Emigration, kam das einschneidende Erlebnis für mich...*

Nicht die Auswanderung selbst ist gemeint, die der Junge zunächst nur als einen weiteren unfreiwilligen Umzug empfinden mochte, – *nicht die Emigration, sondern der Tod meiner Schwester!* Margit Beatrice Weiss war gerade zwölf Jahre alt, als sie am 3. August 1934 *von einem Auto überfahren* wurde, *gleich an unserer Straßenecke. Sie lag noch zwei Tage im Krankenhaus. Bewußtlos. Ihr Gesicht war völlig zusammengedrückt. Sie lag in Krämpfen. Es waren grauenhafte Tage. Meine Mutter in völliger Verzweiflung.*[38] Nicht nur der ältere Bruder hatte eine äußerst intensive, erotisch zu nennende Beziehung zu Margit entwickelt (die gewiß auch die vermißte Nähe zur Mutter kompensierte); es scheint, als hätten fast alle Mitglieder dieser *großen unglückseligen Familie, unfähig*, verständnis-

Collage zu «Abschied von den Eltern», 1962

und liebevoll *miteinander auszukommen*[39], ihre unerfüllte Zärtlichkeit auf dies Mädchen gerichtet. Um so schmerzhafter mußte ihr Unfalltod erfahren werden – und doch gewinnt er in der erzählerischen Analyse eine widersprüchliche Doppelfunktion. Als Verlust der einzigen affektiven Bindung markiert er den *Anfang von der Auflösung unserer Familie.* Über die Heimfahrt von Margits Beerdigung heißt es: *Es gab kein nachhause mehr. Die Fahrt ins Ungewisse hatte begonnen. Wie Schiffbrüchige in einem Boot trieben wir durch das sanft rauschende Meer der Stadt.*[40] Wie aber das Bild des Schiffbruchs nicht nur Verlorenheit, sondern auch die Hoffnung auf ein rettendes Ufer enthält, so löst der Verlust der Schwester bei Peter Weiss auch Impulse kreativer Selbstbefreiung aus, die aus Begehren, Schuldgefühl und Trauer gemischt sind. Ein illustriertes Manuskript aus dem Jahre 1934, *Günter an Beatrice, bearbeitet und illustriert von Peter U. Fehér* (d. i. Weiss), versucht den schmerzhaften Verlust in

Margit Beatrice Weiss im Sommer 1934

einem fiktiven Briefwechsel tröstend zu bewältigen: *Wenn Du an Beatrice denkst, dann stelle sie Dir vor: lachend / vor einem blauen sonnigen Himmel.*[41] In *Abschied von den Eltern*, 25 Jahre später, wird der Todeskampf des Mädchens noch einmal als Phantasie einer geschlechtlichen Vereinigung erinnert – und das *Zittern* vermerkt, das den Bruder noch *am nächsten Tag* gefangenhielt, als er *vor der Staffelei... stand und malte: Während Margit mit ihrem unheimlichen Geliebten rang, bis ihre Kräfte sich langsam verbrauchten, malte ich mein erstes großes Bild.*[42]

Die Jahre zwischen Hitlers Machtergreifung und dem Beginn des Zweiten Weltkriegs bedeuteten für Peter Weiss nicht so sehr erzwungenes Exil als vielmehr Lehr- und Wanderjahre in bester deutscher Bildungstradition. Zunächst allerdings, Ende 1934, führte die Emigration nach England, wo der Vater in seiner Branche tätig werden konnte – und zu einer ersten Zuspitzung des schwelenden Konflikts mit den Eltern, ebenfalls nach klassischem Modell: *Ich wollte Maler werden, und mein Vater wollte, daß ich einen praktischen Beruf ergreifen sollte.* Nach *furchtbaren Auseinandersetzungen* einigte man sich auf eine *Zwischenlösung. Ich ging auf die «Polytechnic School of Photography» in London, sollte wenigstens Photographie lernen... da könnte man vielleicht Geld mit verdienen. Gleichzeitig arbeitete ich im Office meines Vaters in der Fleet Street... und abends und die Nächte lang malte ich für mich in meinem Zimmer oben im Dachgeschoß.*

Rückblickend sieht der Erzähler in *Abschied von den Eltern* jenen Streit nicht nur als pragmatischen Konflikt, sondern als den Beginn des Kampfs um seine *Integrität als Maler*[43] – und zugleich als ein letztes und vergebliches Ringen um familiäre Anerkennung. *Ich konnte meinen Eltern nicht verständlich machen, daß das Malen und Schreiben eine Arbeit für mich war... Wenn ich ein Bild beendet hatte, zwang mich ein Trieb, die Mutter herbeizurufen... Ich zeigte ihr ein Bild meiner selbst. Ich wollte, daß sie lange vor diesem Bild stehen sollte. Ich wollte, daß sie mich in diesem Bilde erkennen sollte. Sie äußerte ein paar nichtssagende Worte... und wandte sich schon ab.*[44] Kaum verwunderlich, daß sie, deren ganze Sorge der Sicherung des von Krisen und Katastrophen erschütterten Familienlebens in der Fremde galt, zu diesen Gemälden keinen Zugang finden konnte oder wollte; allzu deutlich drücken sie die erlittene Isolation und Verlorenheit auf dem Hintergrund jener Katastrophenwelt aus. Sie tragen Titel wie *Selbstporträt zwischen Tod und Schwester* (1935), *Der Weg nach Golgatha* (1934) oder auch *Die Maschinen greifen die Menschen an* (1935). *Oben rechts*, so erläutert der Maler viele Jahrzehnte später dies großformatige, expressive Ölbild, *sehen Sie mich in einem kleinen Selbstbildnis: Ich stehe im Dachstuhl einer Ruine an der Staffelei und male den Mond. Ich stehe in der ruinierten Stadt, zwischen den fliehenden Menschen: schon die Vision des Untergangs, ganz unbewußt... Das waren einfach Visionen, das waren Grunderlebnisse: die Erlebnisse des Todes der Schwester und... des Zusammenbruchs der alten Welt.*[45]

Die Charakteristika des malerischen Werkes von Peter Weiss sind an diesem «apokalyptischen Bild»[46] beispielhaft abzulesen: die gegenständliche, ins Allegorische hinüberspielende Malweise, vom Expressionismus (auch vom literarischen) ebenso eingefärbt wie von den alten Meistern Pieter Breughel und Hieronymus Bosch. Kompositorisch werden Selbstbildnis und Selbstdeutung mit dem Blick auf eine Totalität verbunden, die ein Gemälde von 1937 im Titel direkt anspricht: *Das Große Welttheater* (es ist seit 1968 im Moderna Muséet in Stockholm zu sehen). Die Probleme der künstlerischen Existenz – und ihr Gegensatz zur bürgerlichen, von Katastrophen bedrohten Welt – werden hier sehr früh thematisch und bleiben es in gewissem Sinne im Gesamtwerk des Dichters und Malers.

Uli zu Besuch in England, 1935/36

Zufällige Begegnungen in der Londoner Emigrantenszene, kurzfristige, aber lang nachwirkende Freundschaften bestärkten die Suche nach einem eigenen Weg. Neben Ruth Anker, einer deutsch-jüdischen Emigrantin, wurde für Weiss vor allem *ein junger Mann, einige Jahre älter*[47], den er aus einem *Bohème-Café* kannte, lebensgeschichtlich bedeutsam. *Jacques Ayschmann, der... als Jacques im «Abschied von den Eltern» vorkommt, und der jetzt wieder unter seinem eigenen Namen Ayschmann in der «Ästhetik des Widerstands» auftritt. Wir waren in London bis 1936, zu der Zeit, als der Bürgerkrieg in Spanien begann. Ayschmann meldete sich sofort als Freiwilliger..., ließ zum ersten Mal eine Welt-von-außen in mich einbrechen. Das hat mich jedoch noch nicht politisch agitiert...*

Im Text von 1961 werden die kurzen Wochen der Freundschaft mit Jacques, *der für mich zu einer Phantasiefigur wurde*, verdichtet und als eine Euphorie erinnert, in der sich die künstlerischen Zukunftsphantasien gegenseitig durchdringen: *Ein Strahlenkranz von Perspektiven umgab uns, unsere Zukunft lag offen, ich sah weite Wände vollbehängt mit meinen Bildern, und Jacques dirigierte seine Orchester... Ein dreizehntä-*

giges Gespräch. Ein dreizehntägiger Traum, in dem alles, was in uns nach Ausdruck suchte, zur Sprache kam.

Gemeinsam mit Ruth und Jacques improvisierte Peter Weiss seine erste Ausstellung: *Wir hängten meine Bilder auf in einem Raum über einer Garage in einem Hof in einer versteckten Seitengasse in der riesigen Stadt in dem fremden Land in der unendlichen Welt. Wir schickten Karten aus, die meine Ausstellung ankündigten. Es kam niemand. Das war gleichgültig. Für uns waren die Bilder da, für uns wuchsen sie, für uns entwickelten sie sich. Dreizehn Tage lang war jeder Atemzug fruchtbar, was wir anrührten, entfaltete sich und schlug Blüten.*[48] So war diese Ausstellung, viele *Zeichnungen und... große Bilder auf Holz gemalt, die leider zum großen Teil verschollen und verlorengegangen sind*, gewiß kein Erfolg (auch die Eltern scheinen sie ignoriert zu haben); wohl aber war sie folgenreich als ein weiterer Schritt der persönlichen und künstlerischen Selbstfindung. *Jedenfalls hatte ich meine Bilder einmal gezeigt und mir selbst bestätigt, daß ich Maler bin. Das war für mich das Entscheidende: Bestätigung.*

Unter den Bedrohungen der weltpolitischen Lage verlor sich der kleine Freundeskreis schnell: Ruth Anker emigrierte weiter nach Südamerika, Ayschmann, dem in Weiss' Erzählung eine imaginär überhöhte Abschiedsszene gewidmet ist, reiste nach Spanien, wo er *verschollen* ist; für Peter Weiss selbst ging es nun, im *Herbst 1936*, nur scheinbar *endgültig in die Tschechoslowakei, in meine* Heimat, *die ich nie in meinem Leben gesehen hatte, aber: deren Paß ich besaß.* Geschäftliche Zerwürfnisse und die Schwierigkeiten der Eingewöhnung in Großbritannien hatten den Vater zur erneuten Umsiedlung bewogen. In Warnsdorf nahe der deutschen Grenze, der «Stadt mit den hundert Kaminen» im sogenannten böhmischen «Zwirnland», wurde er *kaufmännischer Leiter in «Fröhlichs Samtweberei», eine große Fabrik, die direkt am Fluß, an der Mandau lag.* Für den Sohn bedeutete dies eine neue Phase der familiären Vereinsamung, ein *Exil im Exil*, für das wieder einmal die *Dachkammer* den symbolischen Ort abgibt; dort *hauste ich mit meinem Grammophon, meinen Platten, meiner Malerei und meinen Lieblingsbüchern. Hier fing das Schreiben wieder an und wurde gleichzeitig mit der Malerei betrieben. Meine ersten Manuskripte sind damals geschrieben und gezeichnet worden.*[49]

Es waren eben diese *Lieblingsbücher*, die dem einsamen Leser zumindest die Richtung einer möglichen Befreiung vorzeichneten, und zwar nicht nur im Bereich der Phantasie. Zunächst einmal wirkte, wie schon in Kinderjahren, die subjektive Identifikation mit dem Gelesenen als starker Impuls. *Ich entwendete Hallers Buch, Nur für Verrückte, aus der geordneten Reihe im Regal, ich befreite es aus seiner verständnislosen Umgebung und ließ es in meinem Reich zur Sprache kommen... Das Lesen von Hallers Werken war wie ein Wühlen in meinem eigenen Schmerz. Hier war meine Situation gezeichnet, die Situation des Bürgers, der zum Revolutionär werden möchte und den die Gewichte aller Normen lähmen.*[50] Die lite-

Titelblatt zu einem frühen Manuskript, 1938/39

rarische Camouflage ist leicht aufzulösen: Harry Haller heißt ja der problematische Held in Hermann Hesses Roman «Der Steppenwolf» (1927), ein an den Zwängen von Erziehung und Konvention leidender und doch an seine bürgerliche Herkunft fixierter Antibürger; und in diesem Roman handelt eine eingeschobene Phantasmagorie – «nur für Verrückte» – unter anderem vom «Kampf zwischen Menschen und Maschinen»[51]. Leicht verständlich, daß und warum Hesses Erzählwerk Peter Weiss wie viele junge Leser damals und seither fasziniert, ihren unklaren Strebungen und schweifenden Wünschen eine Fluchtlinie vorgezeichnet hat – auch wenn der Erzähler Weiss, 25 Jahre später, sich zu distanzieren weiß: *In vielem hielt mich diese Lektüre in einem romantischen Niemandsland fest, im Selbstmitleid und in altmeisterlichen Sehnsüchten;* und es wird noch einige Zeit dauern, bis der junge Leser die *härtere und grausamere Stimme* eines anderen Autors vernehmen wird, die ihn aufzurütteln und ihm *den Schleier von den Augen* zu reißen vermag.

Zunächst aber ist es Hermann Hesse, der Hilfe verspricht – und tatsächlich hilft, *mit neuen Sinnen zu erleben*[52]. Im Januar 1937 schreibt Peter Ulrich Weiss aus Warnsdorf/Böhmen an den *verehrten* Dichter: *Obgleich ich weiß, daß viele junge Menschen Sie mit Briefen und Manuskripten überschütten, um Rat oder Hilfe von Ihnen zu erhalten... wage ich es, Sie auch mit meiner Sendung zu beglücken. Bei mir ist es so: ich bin durch allerlei Umstände... in ein kleines Nest an der böhmischen Grenze vertrieben, der Wind hat mich sozusagen dort hingeweht. Und nun sitze ich hier in meiner kleinen Stube, male, dichte und musiziere nach Herzenslust. Doch ach! Davon kann ich nicht leben. Ich muß in diesem Lande bleiben, dessen Pass ich besitze und es ist nicht mein Vaterland oder meine Heimat. ... Ich weiß, daß ich Maler oder Dichter bin oder einmal werde, aber es ist schwer, heute auf diese Art sein Leben zu verbringen, vor allem, wenn man weniger mit seinen Gedanken im heutigen Tun und Treiben mit all seinem Motorengedröhn und der Unterhaltungsmusik steht, als in romantischen Gefilden. Ich suche also nach einem Weg und kann ihn nicht finden...*[53]

Hermann Hesse, als *Meister* angesprochen, versucht zumindest eine Richtung zu weisen. Sein Antwortbrief aus Montagnola im Tessin, datiert am 21. Januar 1937, ermuntert den unbekannten jungen Künstler in seinen Bemühungen, attestiert ihm Begabung, vor allem was die Zeichnungen angeht, rät zu handwerklicher Disziplin und warnt davor, aus der «Dichtung Brot zu machen... Nur dies nicht!»[54] Wie nützlich diese Ratschläge im einzelnen waren, ist schwer zu sagen; eine Empfehlung, sich wegen möglicher Illustrationsaufträge an Hesses Verleger Gottfried Bermann Fischer zu wenden, trägt jedenfalls keine Früchte. Und dennoch zählt Peter Weiss noch 1979 den Empfang dieses Briefs *zu den ganz großen Augenblicken meiner Entwicklungsgeschichte*[55], weniger wegen der konkreten Ratschläge als wegen der Zuwendung, die er ausdrückte und die schmerzhafte Entbehrungen auszugleichen versprach. *Da stand mein Name auf dem Umschlag, wieder und wieder las ich ihn... Jemand hatte meinen Namen auf einen Brief geschrieben, jemand glaubte an meine Existenz und richtete seine Stimme an mich.* Immerhin jedoch war der junge Bewohner *romantischer Gefilde* realitätstüchtig genug, die unerwartete, fast *unfaßbare Beziehung zur Außenwelt*[56] nicht abreißen zu lassen. Auf seine Initiative hin entwickelt sich ein Briefwechsel, er möchte die bei Hesse liegenden Papiere am *liebsten persönlich abholen*[57], was großmütig gestattet wird. *Die Wirkung* jenes ersten Briefs, erinnert sich Weiss, *war so stark, daß ich 1937 beschloß, eine Sommerwanderung... in die Schweiz zu machen... Ich suchte Hesse auf, der mich sehr freundlich aufnahm. Ich wohnte den ganzen Sommer über... in dem alten Hause, der «Casa Camuzzi», in dem Hesse früher gewohnt hatte... Diese Beziehung zu Hesse! Überhaupt bei Hesse aufgenommen zu sein!*[58]

Noch aus diesen späten Äußerungen klingt heraus, wie unermeßlich viel die südliche Atmosphäre und die fürsorgliche Ermunterung des «verehrten Meisters» für die affektive und kreative Befreiung des jungen

Wanderung ins Tessin mit Robert Jungk und Hermann Levin Goldschmidt, Zeichnung von Peter Weiss, Sommer 1938

Mannes bewirkte. Die literarischen Versuche, die zwischen 1936 und 1938, teils in Warnsdorf und später in Prag, teils in Montagnola entstanden, spiegeln sein zwiespältiges Lebensgefühl in leicht durchschaubarer Verhüllung. Aus der früh geübten Gewohnheit des Tagebuchschreibens herausgewachsen, artikulieren sie durchweg Problemkomplexe, die in der eigenen Sozialisationsgeschichte wurzeln. «Isolation und Befreiung»[59] bilden die existentielle Polarität, die den unbeholfenen Versen und wenig ausgeformten Prosatexten zugrunde liegt und sie damit in die Kontinuität des späteren, thematisch und technisch vielfach differenzierten Werkes rückt.

Ein zweistrophiges Gedicht aus dem illustrierten Manuskript *Skruwe* (datiert 1936/37) kommentiert ein *Bild, das den Weltuntergang darstellt*, ein weiteres beklagt die *Einsamkeit* und einen *Schmerz in der Nacht*, der sich dem Leser leicht als sexuelle Obsession zu erkennen gibt. Ein Prosatext mit dem – nach Hesses Art – mystifizierenden Titel *Die Insel. Eine Art Flugschrift. Vor Augen geführt durch Skruwe. Herausgegeben von*

Peter Ulrich Weiss mit freundl. Genehmigung des Bundes-Archivs[60] suggeriert, teils monologisch, teils in fiktiven Briefdialogen, eine Topographie der Ausweglosigkeit, in der *labyrinthartige Gänge, Kellergewölbe* drohen und ein geheimnisvoller *Turm*[61] aufragt – und postuliert das künstlerische Schaffen als Überwindung jener Verlorenheit. *Es gab ja so viele Irrfahrten und Sackgassen in den letzten Jahren*, so resümiert in seinem *Nachwort* der Erzähler, *aber immer fand ich mich am Ende wieder vor der Staffelei.*[62] Die umfangreichere Erzählung *Cloe. Caspar Walthers nachgelassene Papiere* (Herbst 1937) ist Hesse selbst gewidmet und schöpft, wie auch andere Arbeiten, unverkennbar aus dessen *Dichtung und Bilderwelt*[63]. Sie kontrastiert eine beglückende Tagesstimmung im Süden mit den Bedrükkungen der Nacht – *Diese Stunde ist voller Trostlosigkeit, es ist die Stunde des Selbstmordes*[64], die der Erzähler, ein junger Künstler, in der schützenden Isolation eines romantischen Turms erlebt (ein weiteres Exemplar aus der langen Reihe solcher Bauwerke in Weiss' Œuvre). Die junge Malerin Cloe scheint ihm eine erotische Befreiung zu versprechen, schließlich aber findet er sich wieder allein und gefangen in der «notwendigen Einsamkeit und den Leiden künstlerischer Existenz»[65], die allein im Kunst-Schaffen suspendiert werden können.

Im *Traktat von der ausgestorbenen Welt* (1938/39) mag man, neben nostalgischen Hesse-Motiven, auch schon Anklänge der *härteren* Erzählstimme Franz Kafkas erkennen, die Weiss inzwischen kennengelernt hatte. Wiederum ist es ein Ich-Erzähler mit künstlerischen Ambitionen – *ich hatte davon geträumt, einmal ein großes Werk zu schreiben, ein moder-*

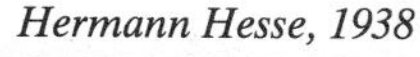
Hermann Hesse, 1938

Bei der Arbeit in Montagnola

nes Epos –, der ein völlig *fremdes Gebiet* durchwandert und nur vermuten kann, daß da *ein Krieg oder ein großer Zusammenbruch gewesen sein mußte.* In einer menschenleeren Umwelt führen ihm die Trümmer und Überreste der Zivilisation und individueller Schicksale, die verlassenen Stätten geselliger Vergnügung (ein *Jahrmarkt*, ein *Zirkus*) seine eigene Verlorenheit vor Augen: ... *unendlich traurig stimmte es ihn, da er einsah, daß er nicht ohne die anderen Menschen leben konnte.* Er bleibt *unbeweglich und gelähmt* auf einer Insel zurück, die ihm zum *selbstgewählten Gefängnis geworden war*, während ein *buntes Schiff... festlich beflaggt*[66], am Horizont verschwindet. Aus den locker gefügten Situationen und epigonalen Szenerien, besonders eindringlich aber aus den spätexpressionistischen Illustrationen klingt unverkennbar die existentielle Betroffenheit des Autors, «der immer wieder formulierte Hilferuf eines vor Einsamkeit kranken Menschen»[67].

Hermann Hesses Ermunterung bestärkte den nach Warnsdorf Zurückgekehrten jedoch in seinen Anstrengungen um eine selbstbestimmte Kunst-Existenz. *Ich stellte meine Eltern und sagte: «Jetzt will ich ernsthaft Maler werden. Ich will an die Kunstakademie nach Prag.» Das durfte nicht sein. Nein.* Dennoch behauptete sich in *ganz harten Konflikten* der Sohn; Hesses Empfehlung führte ihn in Prag, wo er nach Vaters Willen als Volontär in eine Textilfabrik eintreten sollte, zu dem vor den Nazis geflohenen sozialistischen Publizisten Max Barth, der ihn wiederum zu Professor Willi Nowak, dem Leiter einer Malklasse an der Akademie, brachte – *er nahm mich sofort auf.* Ein drängender Brief Nowaks konnte die Eltern gar zu einiger finanzieller Unterstützung bewegen, die ausreichte für ein bescheidenes Atelier *in der damaligen Stroßmayerová in der Nähe der Akademie. Da zog ich ein und etablierte mich als Maler in Prag, Herbst 1937.* Neben die väterlichen Mentoren Hesse, Barth, Nowak traten nun gleichaltrige Freunde aus der Malklasse selbst, Endre Nemes, der später wie Weiss in Stockholm ansässig wird, und Peter Kien, *auch Jude... mir sehr ähnlich... auch von Kubin beeindruckt. Er brachte mich zum ersten Mal in Kontakt mit Kafkas Werken. Ich las «Das Schloß», den «Prozeß» und «Amerika».* Ein dritter Freund, mit dem Weiss damals *sehr oft zusammen*[68] war, hieß Robert Jungk, hatte bereits verschiedene Stationen des Exils kennengelernt und war als Publizist im antifaschistischen Widerstand engagiert. 1983 erinnert er sich, in einer Konzertpause damals einen «Traumwandler» getroffen zu haben, «mit dem ich sofort über die Bilderflüsse sprach, die eben von der Musik in mir ausgelöst worden waren. Der noch Unbekannte berichtete ganz selbstverständlich von seiner eigenen Innenreise, die er gerade hinter geschlossenen Augen gemacht hatte, und sie war so faszinierend, daß ich mich hineinziehen ließ. Von da an sahen wir uns täglich.»[69]

Die freundschaftlichen Bindungen dürften es Weiss erleichtert haben, eine gewisse *Außenseiter*-Stellung[70] an der Akademie, wo avantgardistische Kunstrichtungen dominierten, zu ertragen. Überdies wurde seine «altmeisterliche» Ausrichtung[71] durchaus honoriert: 1938 erhielt er einen Akademiepreis für seine Gemälde *Das Große Welttheater* und *Das Gartenkonzert.*

Mit Robert Jungk, der inzwischen nach Zürich weitergezogen war, und dessen Freund Hermann Levin Goldschmidt unternahm Peter Weiss 1938, teils zu Fuß, teils per Autostop, eine zweite Sommerfahrt ins Tessin. Nun ergibt sich die ersehnte Gelegenheit, Hesse nicht mehr als Ratsuchender, sondern als *ein fertiger Maler* gegenüberzutreten und ein zweites Mal die Atmosphäre Montagnolas zu erfahren: die *ungeheure Frische*

Peter Weiss: Die Maschinen greifen die Menschen an. Ölgemälde, 1935

der Natur... entsprach genau unserer Lebenssituation: Alles war offen, war schön, man fühlte sich frei, man hatte noch keinerlei Beängstigung.[72] Für Hesse selbst fertigte Weiss Manuskriptabschriften und Illustrationen an – die Erzählung «Die Kindheit des Zauberers» ist ein Beispiel – und wurde zweimal mit 100 Franken honoriert, *für mich damals ein hoher Betrag*[73]. Und noch in einem anderen Sinn war hier Befreiung zu finden – in *Abschied von den Eltern* wird sie eindrucksvoll als Überwindung des mit dem Tod der Schwester verbundenen Traumas gedeutet und auch später noch als Beginn eines neuen Lebensabschnitts erinnert: *Zum erstenmal hatte ich in diesen Wochen im Süden ein richtiges Liebeserlebnis mit einer Frau, bei der und mit der ich auch diese ganzen Nöte, die man in und nach der Pubertät mit sich herumschleppt, loswurde, und zum ersten Mal funktionierte ich nicht nur als Maler, sondern auch als Mensch, als junger Mann.*

Am 1. Oktober 1938 besetzte die deutsche Wehrmacht auf Grund des Münchner Abkommens das Sudetenland, die sogenannte Rest-Tschechei geriet unter akute Bedrohung; eine Rückkehr nach Warnsdorf war Weiss unmöglich, die nach Prag nicht ratsam. Die Tessiner Idylle bot dem von Jungk als durch und durch «unpolitisch» charakterisierten jungen Künstler keinen Schutz mehr vor den katastrophischen Schlägen der Politik: *...ich fragte mich lange, was ich jetzt überhaupt tun könne?* Den Eltern gelang, mit Unterstützung von Hans und Arwed Thierbach, die im Reich zurückblieben, die legale Übersiedlung nach Schweden, wo die ebenfalls emigrierten Besitzer von Fröhlichs Samtwebereien eine neue Textilfabrik planten; der im Auslandsgeschäft erfahrene Eugen Weiss war als Geschäftsleiter vorgesehen. Während er sich bereits in Schweden aufhielt, betrieb Frieda Weiss den Transport von Mobiliar und sonstigem Besitz, *und zwar unter Bewachung der SS, die sich jedes Stück ansahen. In der Furcht, die Bilder, die sie von mir im Haus hatte, könnten den Unwillen der SS-Behörden erregen, hat sie diese Bilder zerschlagen und verbrannt.*[74]

Inwieweit solche Zerstörung auch aggressive Reaktion auf die bedrohliche Düsternis der Gemälde und die ungeliebte Künstler-Existenz des Sohnes war, mag dahingestellt bleiben. Mit Sicherheit aber erschütterte der partielle Verlust seines bisherigen Werkes die labile Selbstsicherheit des jungen Künstlers und ließ ihn wohl auch die nächste Zukunft in besonders düsterem Licht sehen. Zögernd reiste Peter Weiss im Januar 1939 über Zürich und *legal durch Deutschland* nach Schweden. Erst hier und erst jetzt wird ihn das *Emigrationserlebnis*[75] in aller Schärfe treffen.

Zwischen den Sprachen, zwischen den Künsten. 1939–1959

... ein fürchterlicher Sturz in alles Alte! So stellte sich die Ansiedlung in Skandinavien noch 40 Jahre später dem schwedischen Staatsbürger Weiss dar. Als Doppel-Exil erlebte er zumindest die ersten zwei Jahre in der väterlichen Textilfabrik in Alingsås/Westschweden und im Elternhaus, wo die familiäre Sprachlosigkeit sich wiederum – nach dem «Ausbruch» 1936 bis 1938 besonders lähmend – über Alltag und Künstlerpläne legte. Die Bilder, die neben der Fabrikarbeit und während kurzer *Ausbruchsversuche*[76] noch ganz im «Prager Stil» entstehen, spiegeln unübersehbar die Verlorenheit des jungen Malers. Auf das Selbstporträt *Jüngling am Stadtrand* von 1938 – *gebannt lag die Atmosphäre von Abschied und Aufbruch, als die alte Welt endgültig verloren ging und es uns ganz ins Exil verschlug*[77] – folgen nun ein großformatiger *Jahrmarkt am Stadtrand* und *Der Hausierer* (beide ca. 1940). Er ist *natürlich der Wanderer, der in ein völlig fremdes Land kommt. Ich konnte kein Wort Schwedisch, und ich bzw. der Hausierer steht da mit dem Bauchladen vor einem Zirkus, die fremde Welt hat etwas Jahrmarkthaftes für den Ankömmling ... In Schweden war für mich das Emigrationserlebnis am stärksten, weil ich die Sprache nicht beherrschte.*

Ende 1940 versuchte der Neuankömmling, in einem weiteren Anlauf zur Lösung vom Elternhaus, sich als Maler zu etablieren, auch wenn die knappe Kasse es hin und wieder nötig macht, *in der Alingsåser Fabrik mit ein paar Monaten Arbeit Geld zu verdienen*[78]. Die Ankunft in Stockholm, die der autobiographische Roman *Fluchtpunkt* im ersten Satz auf dem *8. November 1940* datiert, ist jedenfalls eine tiefe Zäsur, Beginn der *Individuation* (und der 24. Geburtstag des Autors Peter Weiss). *Schedins Pension in der Drottninggata* bietet eine erste Unterkunft.[79] Dort lebte Max Barth (im Roman: Max Bernsdorf), der Freund aus Prag, der 1940 vor der Wehrmacht aus Norwegen geflohen und zunächst in schwedischen Lagern interniert war: *... mein einziger Vertrauter aus jenen Jahren.*[80] Kontakte bestehen auch zu Endre Nemes, dem Prager Malerfreund, zum Bildhauer Karl Helbig und zu Dr. Max Hodann, dem Sozialmediziner, der dann, ebenfalls aus Norwegen kommend, den Freien Deutschen Kultur-Bund

Peter Weiss: Der Hausierer. Ölgemälde, 1940

Dr. med. Max Hodann

(FDKB) leitete, eine Sammlungsbewegung linker Emigranten, der unter anderen auch Karl Mewis und Herbert Wehner (KPD), Fritz Bauer (SoPaDe), Willy Brandt (SAP, seit 1944 SoPaDe) angehörten.[81] Doch trotz der menschlichen Nähe zu *Hodann, Helbig, Barth*[82] verblieb Peter Weiss ganz am Rande der politischen Emigration, was er später, als er sich zu ihrem epischen Chronisten macht, mehrfach und bedauernd anmerkt.

Die Nöte privater und künstlerischer *Individuation* halten ihn gefangen; in den Weltanschauungsgesprächen mit *Bernsdorf* und *Hoderer* (d. i. Hodann) wird im *Fluchtpunkt* diese apolitische Haltung pointiert herausgearbeitet. Vor allem der *kulturelle Zusammenstoß zwischen Einheimischen und Emigranten*[83] scheint alle anderen Erfahrungen desorientierend überlagert zu haben; ein Brief an Hesse führt darüber am 26. Februar 1941 drastische Klage: *Ausländer, unerwünschter Ausländer! Was hat man aus dieser Welt gemacht! Die Kunst, die doch wirklich das Internationalste ist, was es gibt und die das Bindemittel zwischen den Menschen sein sollte, sie wird missbraucht. Jeder hat «seine eigene» Kunst, jeder hat Angst vor der Konkurrenz des Nachbarn, auch hierin, wo der Mensch eigentlich frei und er selbst sein sollte, ist er versklavt, an Normen gebunden, von Cliquen abhängig. Es ist zum Kotzen.*[84]

Das «trifft» zweifellos eine «latente Fremdenfeindlichkeit» der eher provinziellen Kunstszene und der schwedischen Gesellschaft insgesamt,

Helga Henschen und Peter Weiss, ca. 1943

auch wenn der unpolitische Weiss von Anfeindungen «reichsfreundlicher» Blätter oder der eingesessenen deutschen Kolonie verschont blieb, die einen Hodann als «Sexualjuden aus Weimar-Deutschland schlimmster Verfallszeit» beschimpften.[85] Überdies sind private wie künstlerische

«Das Institut arbeitet» – bei der Ausführung des Wandgemäldes in der Stockholmer

Ansätze einer dauerhaften Integration nicht zu leugnen: *1942 traf ich meine erste Frau*, Helga Henschen, selbst Malerin und Tochter eines renommierten Mediziners; *lebte unterhalb des Existenzminimums, aber immerhin so, daß ich malen, daß ich arbeiten konnte. Ich produzierte und war 1942 so weit, meine erste Ausstellung abhalten zu können, in der soge-*

Klinik, Karolinska Institut, ca. 1945

nannten «Messehalle», die in Wirklichkeit ein kleiner Kunsthandel... war in Brunkebergstorg – dieser Rahmenhändler machte Ausstellungen, er stellte Endre Nemes aus und gleich danach mich.[86]

Im *Notizbuch* von 1976, in dem er die Ausstellung übrigens ins Jahr 1941 datiert, glaubt Weiss sich zu erinnern, sie beide seien *von der Kritik*

«Das Institut arbeitet»: Ausschnitt mit Selbstporträt

als artfremde, zentraleuropäische Wrackstücke behandelt worden.[87] Wie dem auch sei: Zwei Jahre später war Weiss – als tschechoslowakischer Maler – auf der «Gemeinschaftsausstellung ‹Konstnärer i landflykt› [Künstler in der Landesflucht]» vertreten, die zu «vertieften Kontakten zwischen den schwedischen Künstlern und ihren Kollegen aus den verschiedenen Ländern» führen sollte; von der sonst zurückhaltenden Kritik wurde gerade seinen Gemälden (*Die Kartoffelesser, Die Kannibalenküche*, beide 1942) «Anerkennung» gezollt.[88]

Solche Momente der Eingliederung bleiben jedoch, auch in der Deutung des *Fluchtpunkts*, überschattet vom Gefühl der Isolation und Ziellosigkeit, das sich malerisch in halbherzigen Experimenten ausdrückte: *...eine Periode, 1943–44–45, in der ich mich mit Farben, Formen und Stimmungen beschäftigte, die mir im Grunde genommen nicht richtig entsprachen: es kamen Bilder heraus, mit denen ich versuchte, «irgendetwas» zu machen, um mich vielleicht doch behaupten zu können.*[89] Weiterhin war Brotarbeit nötig – als *Sommerarbeiter* auf einem *Bauernhof bei Sigtuna, 1942*[90] (er wird später die Szenerie zum Prosatext *Der Schatten des Körpers des Kutschers* abgeben); oder *im Winter 1941, beim Holzfällen* in Nordschweden, *für die Korsnäs-Gesellschaft*[91] (die kaum erträgliche

Härte dieser Arbeit wird im *Fluchtpunkt* beschrieben). *Von Stockholm aus* liefert Weiss am Ende wieder Musterzeichnungen für die Textilfabrik, zunehmend im *Gefühl*, die künstlerische Identität gehe verloren, *alles zerfalle, alles zerbröckele, ich hatte keine Konzentration mehr, ich konnte eigentlich gar nichts mehr machen.* Brüche und Konflikte auch im privatesten Bereich; *1944 wurde meine erste Tochter* – Randi Maria – *geboren, kurz darauf schied ich mich von meiner ersten Frau und lebte schon bei Kriegsende 1945 allein*, in Stockholm, Fleminggatan 37. Alles in allem *Jahre, von denen ich im Grunde viel verdrängt habe; ich kann auch wenig darüber berichten. Es waren Jahre, die überhaupt nichts an Impulsen gaben. Diese Abgeschiedenheit und dieses Zurückgeworfensein in völliger Hilflosigkeit, eine Zukunft als Maler kam überhaupt nicht in Betracht. Trotzdem lebte ich so dahin.*[92]

Neben solcher Perspektivelosigkeit dürfte die geographische und kulturelle Öffnung nach Kriegsende ihn zu neuen Schreibversuchen angeregt haben. Im Sommer 1947 reiste Weiss jedenfalls ins zerstörte Berlin, um für die Zeitung «Stockholms-Tidningen» *auf schwedisch* einige Reportagen zu liefern. Seine Haltung muß zwischen forcierter Distanz – *ich kam als Ausländer, als Fremder, der sich ansah, was aus diesem Land geworden war, mit einer völligen Fremdheit*[93] – und uneingestandenen Rückkehrwünschen geschwankt haben; seine spätere Frau Gunilla berichtet jedenfalls auch von der pragmatisch motivierten «Hoffnung, sich in Deutschland als Korrespondent niederlassen zu können». Daraus wurde nichts; die sieben gedruckten Reportagen, die das Alltsgsleben (Schwarzmarkt, Kinderelend) und die politisch-kulturelle Situation erfassen, galten offenbar als «unjournalistisch»[94]. Ein frei komponierter Prosatext, der das gleiche Erfahrungsmaterial verarbeitete, *De Besegrade* (*Die Besiegten*), wurde 1948 zwar vom renommierten Albert Bonniers Verlag publiziert, fand aber keine Resonanz. Den heutigen Leser können diese Texte durch prägnante Wahrnehmungen deutscher Nachkriegsrealität beeindrucken; ihre analytischen Partien schlagen zugleich Themen an, die für das spätere Werk des Autors zentral werden.[95]

Die Reportagen bestechen dabei weniger durch ihren Tatsachengehalt als durch den Blick für die sozialpsychologische Tiefendimension der beobachteten Zustände und Verhaltensweisen. Durchweg wird die «Mitschuld» der Sieger an einer ebenso bedrückenden wie bedrohlichen Lage geltend gemacht. Überdeutlich zeichnen sich in ihrer Allianz bereits die Konturen einer neuen gewaltsamen Konfrontation ab: *Internationalismus und Versöhnung werden heute in Berlin in besonderer Weise praktiziert. Ein Stadtteil gleich Palm Beach, mit Eis-Bars, Swimming-Pools, flotten Villen, Cocktail-Parties, rasenden Jeeps und Jazzmusik. Ein Stadtteil ist wie ein Vorort von London... Ein Stadtteil ist wie eine französische Garnison... Ein anderer scheint nach Rußland versetzt zu sein, mit GPU-Gefängnissen, Verhaftungs- und Deportationsdrohungen und Gymnastik-*

Peter Weiss und Tochter Randi Maria – Skulpturen von Helga Henschen

vorführungen von schneidigen Jungen und Mädchen.[96] Der Reporter beklagt den mangelnden Einbezug antifaschistischer Widerstandskämpfer in den Wiederaufbau, er konstatiert aber auch schon, was später in einer berühmten Formulierung die «Unfähigkeit zu trauern» heißt: *Es sind wenige, die es wagen, zurückzublicken. Ein beklemmendes Dunkel überdeckt die Vergangenheit. Wenige wagen die finstere Krankheit zu benennen, die während vieler Jahre getobt, schließlich sich selbst verbrannt und eine große Wunde hinterlassen hat, aus der unstillbar das Blut sickert. Obwohl alles und alle gezeichnet sind von diesem Fieber, wagt man nicht, seinen Namen zu nennen, man fürchtet es wie eine böse Gottheit: man tut, als sei sie nicht vorhanden, um nicht ihre Aufmerksamkeit zu wecken. Ein großer Leerraum klafft, wo der Dämon gewütet hat.*[97]

Zwei Texte gelten der Lage der Literatur, die allein und stellvertretend mit *dem Dämon des Krieges und der Nachkriegszeit* zu *ringen* scheint. Sie bedauern das Fehlen der *Emigrationsliteratur*, registrieren einige *Dokumente, die vom aufopfernden Kampf des deutschen Widerstandes erzäh-*

len. Daneben stehen die *Namenlosen*, die jungen Autoren: *Ihr Streben zielt auf einen knappen, konzentrierten Stil hin, einen Stil, der sich vor Rührseligkeit und Verkünstelung fürchtet. Sie sind bei den Journalisten in die Schule gegangen, bei den Amerikanern und bei ihren eigenen Leiden; sie sind hellhörig geworden für jeden falschen Ton.*[98] Zu einem dauerhaften Kontakt mit ihnen – man könnte an die Autoren um den «Ruf» Alfred Anderschs und Hans Werner Richters, an Wolfdietrich Schnurre oder an Böll denken, der eben damals zu publizieren begann – ist es nicht gekommen; möglich, daß er den Entwicklungsgang des Autors Weiss modifiziert oder beschleunigt hätte.

Denn zentrale Themen, ja Verfahrensweisen seiner späteren Arbeit liegen greifbar nahe, wenn im Blick auf die *Literatur des Dunkels* ein politisches Werk, *Eugen Kogons «Der SS-Staat» an erster Stelle* genannt wird, *eine Analyse von ätzender Schärfe*. Den *inneren Mechanismus des Höllenapparates* versuche Kogon aufzudecken. *Er schildert hier System und Verwaltung der Konzentrationslager, er schildert alle Phasen des Lagerlebens und erschafft das erste, wirklich klare Bild dieses überaus kompliziert organisierten Infernos, in dem Sadismus zur Wissenschaft gemacht wurde, in dem der Mensch seine niedrigste Daseinsform ausexperimentierte, wo alle Leiden im Konzentrat gezüchtet wurden. Hier werden die Henker zu den wahrsten Repräsentanten unserer Zeit.*[99] Fast klingt dies wie ein frühes Konzept zur *Ermittlung* von Peter Weiss (1965); und wirklich kann man zeigen, daß Kogons Buch als Quelle und Interpretationsmuster für dieses dramatische *Konzentrat* des *Infernos* über fast zwei Jahrzehnte hinweg wichtig geblieben ist.[100]

Motive der Reportagen finden sich in *Die Besiegten* wieder, einem locker strukturierten Prosamonolog, der die Begegnung des erzählenden Ichs mit der verwüsteten *Stadt* protokolliert, *die mich vor langer Zeit verlor. Am Horizont liegt meine zerbröckelte Kindheit. Ich bin fremd hier. Ich kehre nicht heim, ich werde nur gegenübergestellt.*[101] So diffus das Erzählgeschehen bleibt, so deutlich wird, daß dies fremde Ich in der Konfrontation mit der verlorenen Heimat und ihren Bewohnern zwar nicht zu einer Wiedereingliederung, wohl aber zu einem neuen *Bewußtsein* seiner problematischen Identität findet. *Nun* verstand *ich: ich verstand den Gefangenen, an seiner Stelle könnte ich gewesen sein, ich verstand den Gefolterten, an seiner Stelle könnte ich gewesen sein, aber ich verstand auch den jungen, geblendeten Soldaten, auch an seiner Stelle könnte ich gewesen sein. Ich verstand den anderen Soldaten, der sich gegen den Angreifer verteidigte, der zum Gegenangriff überging, um zu siegen. Ich war auf beiden Seiten, überall wo es Unterdrückte gab, überall wo jemand verzweifelt um seine Freiheit kämpfte. Ich wurde getötet und ich tötete.*[102] Von diesem Punkt aus, auf der Grundlage einer zunächst paradox wirkenden Empathie, fächert der Text sich in mehrere kurze Rollen-Monologe auf, in denen namenlose Sprecher eben als *Gefangene* oder *Gefolterte*, als *Soldaten* und Vergewaltiger, als hungernde Studenten oder als Liebende, als *äußere Sieger* oder *Besiegte*[103] zu Wort kommen – oder, schwer zu entscheiden, in denen das Erzähler-Ich durch die jeweilige Rolle spricht.

Die eigenartige Erzählstruktur und die zitierte Passage berühren die Welt- und Selbstdeutung des Peter Weiss an zentraler Stelle – und decken (lange vor den autobiographischen Texten von 1960–62) eine thematische und ikonographische Grundstruktur seines gesamten künstlerischen Schaffens auf. Erstens: Der Zweikampf, das *Duell*, Angriff und Gegenwehr, die sadomasochistische Verklammerung, Folterung und *Tortur*[104], Gewaltanwendung gegen Körper – das sind für Weiss Varianten einer «Urszene», von der er die Konstitution des Ichs, Geschlechterbeziehungen und familiäre Strukturen ebenso geprägt sieht wie das Funktionieren gesellschaftlicher Institutionen, politischen Terror oder auch die epochalen Kämpfe der Klassen, die er zwanzig Jahre später in den archaischen Kampfszenen des Pergamon-Frieses symbolisiert (auf den ersten Seiten der *Ästhetik des Widerstands*). Eng mit diesem archetypischen Bild verbunden ist zweitens die Erfahrung, je nach den Umständen auf dieser wie auf jener Seite stehen und handeln zu können, als *Sieger* oder *Besiegter*, als Opfer oder *Henker*[105] – mit anderen Worten: austauschbar zu sein. Im scheinbaren Fehlen persönlicher Identität reflektiert sich die historische Erfahrung einer tiefgreifenden Entwertung des Subjekts schlechthin, die vor allem für die Faschismus-Interpretation des späteren Weiss wichtig wird.

Drittens aber läßt sich hier schon absehen, wie er als Autor diese Erfahrung produktiv zu machen sucht: indem er, innerhalb eines Werkes oder einer Werkreihe, die verschiedenen Rollen oder Möglichkeiten, von denen sein reales Leben nur eine zufällige Realisierung ist, als Varianten oder Kontrafakturen ausführt. Ein *zweites, eingebildetes Leben*, vielmehr: eine Reihe solch imaginierter Existenzmöglichkeiten gewinnt in diesem Prozeß *Deutlichkeit*, ideelle und ästhetische Realität.[106]

Auf der Entwicklungsstufe von *De Besegrade* sind weiterführende politische Perspektiven freilich noch nicht möglich; der Erzähler wird in einer Kreisbewegung auf seine Ausgangsposition und seine Ungebundenheit zurückgeworfen. *Mein Leben*, schließt der Text, *ist das ungebundene Leben des Fallschirmfliegers, dessen Zuhause nirgends und überall ist. Ich durchkreuze die Peripherie der Gefahren, und meine einzige Waffe ist die Wachheit der Gedanken. Mit dem Fallschirm des freien Fluges sinke ich durch den weitoffenen Trichter der Wirklichkeit und werde in meinem innersten Raum an Land gesetzt.*[107] Es zeichnet sich also, in Reaktion auf Gesellschaft und Politik, jene individualistische – und mißverständlicherweise apolitisch genannte – Haltung ab, die in Weiss' Selbstverständnis bis zur Mitte der sechziger Jahre weiterwirkt. Gelegentlich hat er sie als *dritten Standpunkt* bezeichnet[108]; man darf sie aber, ungeachtet der speziellen

Exilsituation, auch in die Nähe jenes «Nonkonformismus» rücken, den die bald nicht mehr *namenlosen* deutschen Autoren seiner Generation als Inbegriff ihrer individualistischen Gesellschaftskritik proklamierten.

Eine gewisse Ironie liegt darin, daß Weiss für *Die Besiegten*, die sehr wohl in den Kontext der frühen Nachkriegsliteratur gepaßt hätten, in Deutschland keine Resonanz suchte – während er den kurz vorher entstandenen Prosatext *Der Vogelfreie*, der in ähnlicher Weise seine Integrationsprobleme in Schweden verarbeitet, nun gerade einem deutschen Verleger anbot, den er in Berlin kennen- und schätzengelernt hatte.

«Was Sie als Emigrant erleben», heißt es einfühlsam in Peter Suhrkamps Absagebrief, «erleben wir auf andere Weise. Bei uns ist es allerdings nur die Fremdheit in der Welt dieser Zeit, aber eben auch Fremdheit und Isoliertheit... Wer den Schritt fort von hier einmal getan hat, der kann nur weiter gehen. Wir müssen uns, glaube ich, alle an die Tatsache gewöhnen, daß es Vaterland und Heimat heute für uns nicht mehr gibt. Mit diesen Verlusten, wenn es welche sind, müssen wir weiter leben.» Mit der Ermunterung, die eigene *Unzugehörigkeit* in ihrer Ambivalenz anzunehmen, verbindet Suhrkamp jedoch die Warnung vor reiner «Selbstbetrachtung», die er in *Der Vogelfreie* zu erkennen meint: «Ich glaube nicht, daß dieses Manuskript so zu publizieren ist. Es ist die Niederschrift eines, der an Selbstgespräche gewöhnt ist. Dessen Sprache eine wesentliche Fähigkeit der Sprache verloren hat, nämlich sich verständlich mitzuteilen; die Übersetzung ins Sichtbare. Die Visionen bleiben Phantasien einer innerlichen Welt, ihre Realität ist nicht die Realität von anderen Menschen.»[109] Peter Weiss ließ den Text als *Dokument I* 1949 in 350 Exemplaren bei der Druckerei Björkmann in Stockholm drucken; erst 1980 ist er, unter dem neuen Titel *Der Fremde* und dem auf Hesse und Hölderlin anspielenden Pseudonym *Sinclair*, in dem Verlag erschienen, der Peter Suhrkamps Namen trägt.[110]

Der Verleger hatte die Schwäche fast aller frühen Weiss-Texte sehr genau erkannt; aber der Autor war noch nicht fähig oder bereit, dem wohlgemeinten Rat zu folgen und seine «Blicke und... Empfindungen auf die Erscheinungen» einer «realen Welt» zu richten.[111] Schon 1947 war bei Bonnier sein allerərstes Buch erschienen, eine Folge von poetisch überhöhten Prosastücken mit dem Titel *Från ö till ö* (*Von Insel zu Insel*): expressive Bilder und Szenen subjektiver Verstörung. Aber Leidenserfahrungen und Gewaltphantasien bleiben ohne nachvollziehbaren Bezugsrahmen – und illustrieren insofern Suhrkamps Urteil. Bislang galt *Från ö till ö* als das erste schwedisch geschriebene Werk von Weiss, doch ist die Möglichkeit einer deutschen Erstfassung nicht völlig auszuschließen, auch wenn der Autor diesen Text «immer als original schwedisch empfunden» hat.[112] Der Sozialarbeiter Nils Lindström hat jedenfalls berichtet, wie er 1946 in zweimonatiger gemeinsamer Arbeit mit

Bei der Arbeit an «Von Insel zu Insel», ca. 1944

Weiss eine schwedische Übersetzung hergestellt habe.[113] Sollte dies zutreffen – und die gleiche Arbeitsweise womöglich noch für andere Texte wie *De Besegrade* und *Rotundan* (*Der Turm*) gelten, so wäre jedenfalls das Moment des *Schwankens zwischen zwei Sprachen*, das für Weiss' spätere Selbstdeutung so wichtig ist, zu relativieren.[114]

Der Einakter *Rotundan*, zunächst als Hörspiel konzipiert und 1950 unter Mitwirkung des Autors in einem *Stockholmer Kellerstudio* aufgeführt[115], 1963 als *Der Turm* deutsch publiziert, ist ein «quälendes, alptraumartiges Stück», eine Parabel von der Befangenheit im Ich und seinen Prägungen, aber auch von möglicher Selbst-Befreiung. Am Beispiel des Artisten Pablo Niente (!) wird die «Rückkehr in den Turm der eigenen Vergangenheit»[116], in diesem Fall in eine quasi-familiale, repressive Zirkusgesellschaft, als nötige Vorbedingung einer Lösung aus äußeren und verinnerlichten Zwängen durchgespielt. Pablo ist höchst symbolischerweise *Entfesselungskünstler*, und der *Strick*, von dem er sich in der Schlußszene befreit, gleicht einem *Nabelstrang*.[117] Überdeutlich, wie Weiss sich von der Artikulation seiner unbegriffenen Verlorenheit allmählich zur – hier noch parabolisch gefaßten – Ergründung seiner sozialisationsgeschichtlichen Problematik vorarbeitet.

In diesem Prozeß nimmt der Prosatext *Duellen* (*Das Duell*), den Weiss

1953 wiederum als Privatdruck herausbrachte, eine exponierte Stelle ein. *Dieses Buch*, so kommentiert er 1972 die deutsche Übersetzung, *schrieb ich 1951, auf schwedisch.* Es sei ein *Resultat der Isoliertheit*[118] in der Emigration – und ist doch auch schon ein Zeugnis der Selbstbefreiung, der «Ablösung von verinnerlichter Autorität»[119]. Formal zeigt sich dies in der Überwindung der «existentiellen» Ich-Erzählung durch die distanziertere Er-Form: Ein junger Künstler, der (wie der Bruder des Erzählers im *Fluchtpunkt*) Gregor[120] heißt, agiert neben seiner Geliebten Lea und seinem Gegenspieler Robert als Projektionsfigur des Erzählers; er agiert seine bislang abgewehrten, stark inzestuösen Sexualwünsche aus und nähert sich zugleich, mehr oder weniger bewußt, dem lähmenden «Zusammenhang von Autorität, Bindung an den Vater und Sexualangst». In seinem *Duell* mit den Vater-Instanzen der äußeren Welt, aber auch mit ihren verinnerlichten Zwängen wird als innerster Kern von Weiss' Bilderwelt der «Kampf mit sich selbst» offenbar: «... der unterdrückte Trieb beginnt sich gegen die unterdrückende Instanz durchzusetzen.»[121] Eine Öffnung zur Außenwelt und sozialen Umwelt wird wieder möglich.

Unübersehbar ist die neue formale Qualität der Prosa. Ihre Bilder sind nicht mehr nur vage symbolisch, sondern prägnant und vieldeutig zugleich: Traum-Bilder, assoziativ zu Sequenzen montiert und von deuten-

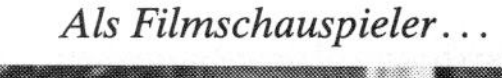

Als Filmschauspieler ...

den Reflexionen begleitet. Carl Pietzcker hat in einer subtilen Interpretation die Impulse aufgewiesen, die neben der fraglos autobiographischen Problematik (also der frühkindlichen Fixierung, aber auch der gescheiterten Ehe des Autors) in Konfliktgestaltung und Schreibweise des *Duells* eingegangen sind. Bildsprache und Montagetechnik entsprechen Verfahrensweisen des Films, und zwar des surrealistischen, an die Poetik von Traumbildern anknüpfenden Films. Zugleich verfolgt die Erzählung, im Ineinander von assoziativer Bildhaftigkeit und reflexiver Deutung, einen ausgeprägt «psychoanalytischen Ansatz» und formuliert ihre Position schließlich in impliziter Auseinandersetzung mit der «literarischen Tradition»[122], genauer gesagt mit existentiell prägenden Lektüreerfahrungen des Autors. Von ihnen – besonders von der polaren Spannung zwischen der Kafka- und der Henry Miller-Lektüre – wird im späteren *Fluchtpunkt* noch ausführlich die Rede sein.

Hier sei deshalb zunächst auf die beiden anderen Anstöße hingewiesen, die (über *Das Duell* hinaus) in den späten vierziger und fünfziger Jahren so virulent sind. *Gleich nach Kriegsende*, erinnert sich Weiss 1979, *erlebte ich zum ersten Mal den Surrealismus und zwar sehr stark. Es war eine wirklich ernsthafte Beschäftigung.* Und präzisierend: ... *kurz nach dem Krieg die starken Erlebnisse durch die surrealistischen Filme, Buñuels «L'âge d'or» zum Beispiel war ein ganz einschneidendes Erlebnis.*[123] Die Intensität solch ästhetischen «Erlebens» war vorbereitet durch eine erste, schon 1940 begonnene psychoanalytische Behandlung, die rückblickend als erster Versuch erscheint, zu *wissen, was mit mir geschehen war* – und gleichzeitig als erstes Erproben der *neuen Sprache* im Exilland. Doch ... *als ich unsere Untersuchungen abbrach, hatte ich die Masse der Schrecken noch vor mir.*[124] Um 1950 unterzieht sich Weiss einer Therapie bei dem Ungarn Lajos Székely, *der ein sehr guter Analytiker war*[125]. Sie dürfte etwa zur gleichen Zeit zum Abschluß gekommen sein, als *Duellen* entstand, das insofern als poetische Parallelaktion zur Analyse gelten kann. Zuvor schon war Weiss mit psychoanalytischen Schriften verschiedener Richtungen bekannt geworden: Freud, Jung, aber auch Fromm und *Reich*. Nicht zu vergessen die frühe Freundschaft mit Max Hodann: ... *er hat letztlich mein Interesse für die Psychoanalyse geweckt* (und *zugleich immer wieder aufs Politische hingewiesen*).[126]

Im *Surrealismus*, sowohl *literarisch als auch bildkünstlerisch*, vor allem aber durch den Film vermittelt, «erlebte» Weiss die Möglichkeit, die Bilder und die Dynamik des analytischen Prozesses auch als Formen ästhetischen Ausdrucks – und damit eines lebensgeschichtlichen wie auch gesellschaftlichen Protests – nutzbar zu machen. *Wie in der Psychoanalyse wird das Verdrängte ans Licht befördert, all das Amoralische, Barbarische, was gefährlich ist*, heißt es in der Analyse von Luis Buñuels «Un chien andalou» – ein Film, der ganz *nach den Prinzipien der Traumarbeit aufgebaut* sei.[127] Buñuels Filme stehen im Zentrum des Essays *Avantgarde Film*

Bei Dreharbeiten mit Kameramann Gustaf Mandal

(1955 auf der Grundlage einer schwedischen Analyse verfaßt[128], aber erst 1963 in den «Akzenten» veröffentlicht). Doch schon früher, vom Filmpionier Méliès an, erkennt Weiss verwandte Bestrebungen. *Seine Dramatik war nicht nach den Gesetzen der Logik aufgebaut, auf seiner Schaubühne entwickelten sich keine folgerichtigen Handlungen, alles war in ständiger Verwandlung begriffen, bizarren Einfällen und Überraschungsmomenten ausgesetzt.*[129] Und wiederum über die Surrealisten: *Diese Filme wollen die Phantasie des Zuschauers anregen, sie wollen ihn beunruhigen. Sie wollen ihn aus seiner Zufriedenheit wecken. Damals, zu Anfang und Mitte der Zwanzigerjahre, war die Kunst angriffslustig. Die Maler, die Filmpoeten waren Revolteure. Sie glaubten an eine Veränderung der Gesellschaftsordnung.*[130]

In ihren Innovationen und Experimenten sieht Weiss die wichtigste ästhetische Produktivkraft in der Kunst des 20. Jahrhunderts – also, wie der Titel emphatisch formuliert: die *Avantgarde Film* schlechthin. In dem schwedischen Band *Avantgardefilm* (verlegt bei Wahlstöm & Widstrand, Stockholm 1956) bekräftigt er das einleitend: *Der Terminus «Avantgarde» wird hier...in einem weiteren Sinn gebraucht, er umfaßt eine Auswahl von Werken aus unterschiedlichen Perioden, vom Beginn des Films an bis in unsere Tage, Werke experimenteller Art, die den Film als selbständige Kunstgattung weitergeführt haben.*[131] Deutlicher als das auf breiten Überblick angelegte Buch – das die avantgardistische Genealogie nicht ganz uneigennützig bis zu den schwedischen Jungfilmern Ingmar Bergman und Peter Weiss auszieht[132] – verweist der deutsche Essay auf eine filmästhetische Doppelstrategie. *Die Filmavantgarde*, heißt es da, vom Surrealismus zu *Eisenstein, Pudovkin* und *Vertov* überleitend, *schulte sich mehr und mehr am Dokumentarfilm... Doch neben den Schilderungen der äußeren Wirklichkeit verloren die visuellen Dichtungen einer inneren Wirklichkeit nicht an Kraft.*[133] Diese Dialektik zweier Zugriffsweisen – Realitätsabbild und Introspektion, Dokument und Vision – wird der Künstler Peter Weiss weiterhin und bis zu seinen letzten Arbeiten bedenken und selbst erproben.

Zunächst ist aber fast selbstverständlich, daß unter dem Druck surrealistischer Bildlichkeit die konventionelle Bilderwelt des Malers Weiss, sein symbolischer Realismus, unrettbar zerbricht. Und trotz gelegentlicher Versuche mit bildnerischen Collagen in der Tradition Max Ernsts – die das «dokumentarische» und das visionäre Element amalgamieren und vor allem als Illustrationen zu Weiss' Prosabüchern um 1960 bekannt geworden sind – bedeutet dies auch den Abschied von der bildenden Kunst im konventionellen Sinn. In einem Rundfunkvortrag von 1952, *Inför den nya filmsäsongen* (*Vor der neuen Filmsaison*), berührt Weiss sehr grundsätzlich (fast könnte man meinen: in aktueller Fortführung von Lessings «Laokoon»-Gedanken[134]) seine künstlerische Erfahrung mit den «Grenzen von Malerei und Poesie» und den neuen Möglichkeiten des Films: *Als Maler kann ich zwar ein Bild mit ganz verschiedenen Aspekten schaffen. Ich kann verschiedene Geschehnisse, die zueinander in einem bestimmten Verhältnis stehen, darstellen. Ich kann sogar die Illusion von Bewegung hervorrufen, aber ich kann nie mehr als eine einzige Situation zeigen, mein Bild ist allzu statisch. Das was ich auf dem Bild fixiert habe, steht außerhalb der Zeit als etwas Unveränderliches. Als Schriftsteller arbeite ich mit der zeitlichen Dimension, ich habe die ganze Vergangenheit und Gegenwart zu meiner Verfügung. Ich kann mich gleichzeitig auf verschiedenen Ebenen bewegen, einen Handlungsverlauf gleichsam mit einem offenen Fenster gegen die tieferen Assoziationsschichten schildern. Ich kann Gedanke an Gedanke und Bild an Bild fügen. Ich kann mit Überblendungen und Doppelbelichtungen arbeiten, die Beweglichkeit meines Ausdrucks ist unbegrenzt, aber ich kann nur beschreiben, was ich sehe und höre. Im Film dagegen nimmt die Vision Form an und wir werden gleichsam von ihr aufgesogen. Die literarischen Symbole und Bilder lassen größeren Spielraum für die Phantasie des Zuschauers offen. Die Worte wecken nur und stimulieren mit ihrer Intensität, aber der Leser selbst muß sie beleben, er muß das Angedeutete durch eigene Aktivität ergänzen. Die Konfrontation mit dem Buch und dem Bild ist eine selbständige Handlung, eine Art Zwiesprache, bei der*

Peter Weiss: Collage zu «Tausend und eine Nacht», 1957

man seine Individualität nicht verliert. Die Konfrontation mit dem Film hingegen gleicht einem magischen Kult, bei dem unser Ich in einem anonymen Bewußtsein aufgeht.[135]

Publizistisch hatte sich Weiss schon seit 1947 mit Filmfragen befaßt. Nach seiner Rückkehr aus Berlin schrieb er in der Zeitschrift «Biografbladet»: *Stoff zu einem Film findet man auf jeder deutschen Straße. Ein unendliches Material von Menschenschicksalen wartet auf seine Gestaltung. Ein Bilddichter hat einen unerschöpflichen Vorrat an quälend realistischen, seltsam traumhaften und surrealistischen, erschreckenden, anklagenden und zur Besinnung stimmenden Visionen dieser Welt zur Verfügung.* In diesem Aufsatz, *Tysk efterkrigsfilm* (*Deutscher Nachkriegsfilm*), hebt er *zwei Filme* besonders heraus, die er aus jenem Bildervorrat schöpfen sieht: *Wolfgang Staudtes hart anklagender «Die Mörder sind unter*

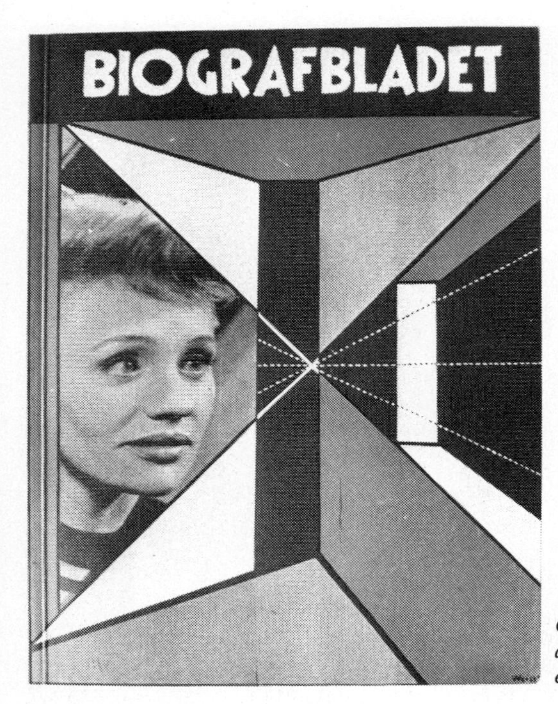

Gunilla Palmstierna auf dem Titelblatt einer Filmzeitschrift

uns» und Helmut Käutners zurückhaltend-feinfühliger «In jenen Tagen».[136] Dann schaltet sich Weiss vor allem in die innerschwedische Filmdiskussion ein und plädiert für die Förderung des avantgardistisch-nichtkommerziellen Filmschaffens. Mit Gleichgesinnten ist er in der Gruppe «Svensk Experiment Film Studio» (seit 1954: «Arbetsgruppen för film») aktiv; zunächst organisierte man vor allem Filmvorführungen und Diskussionen, dann werden mehr und mehr eigene Produktionen betrieben. Auch hierbei ist Weiss besonders initiativ.

Das Jahr 1952 markiert eine Zäsur im Künstlerischen wie im Privaten. Seit Anfang August lebt Peter Weiss in Stockholm mit der Künstlerin Gunilla Palmstierna zusammen; auf Grund des gemeinsamen Interesses am Film, am Theater und an der bildenden Kunst wird sie in den folgenden Jahrzehnten zur wichtigsten Mitarbeiterin des Dramatikers. «Ich habe Peter», so erinnert sie sich in der Dankrede für den postum an Weiss vergebenen Büchner-Preis, «1949 bei einer Vorstellung des indischen Tänzers Ram Gopal kennengelernt. 1952 traf ich ihn wieder, und dieses

Mit Gunilla

Mal im Menschengewimmel auf einem Jahrmarkt. Und seitdem habe ich... mit diesem Mann der Widersprüche gelebt...»[137] Und in einem Gespräch aus dem Jahre 1984 erläutert Gunilla Palmstierna-Weiss: «Was uns im tiefsten Grunde immer zusammengehalten hat, ist ein gleichartiger Hintergrund... Ich bin durch verschiedene Familienumstände, meine Mutter war von russisch-jüdischer Herkunft, in Schweden gelandet. Meine Mutter hat sehr früh geheiratet, ist sehr früh geschieden und hat dann eine lange Wanderung durch Europa gemacht. Sie war Schülerin Freuds, Psychoanalytikerin, war sehr kurz in Österreich verheiratet, bzw. hat zusammengelebt mit einem jüdischen Mann, der in Auschwitz umgekommen ist. Mein Bruder und ich, wir sind in verschiedenen Pflegeheimen in Europa aufgewachsen. Und als sie dann endlich wieder heiratete, einen Holländer, ein Arzt und Psychoanalytiker, lebten wir... in Rotterdam, ich habe den ganzen Krieg dort miterlebt als Kind. Mein Bruder und ich hatten noch immer den schwedischen Paß. Damit sind wir gegen Kriegsende von Holland weggekommen. Wir kamen nicht sehr weit, ich habe das Ende des Krieges in Berlin erlebt und bin mit dem letzten Flug der schwedischen Gesandtschaft dann als Kriegskind zurückgekommen in meine eigene Heimat, ohne meine Sprache gut zu kennen... ich glaube, in dieser Tiefe haben wir uns gefunden, nicht nur, daß wir gleichartige Erlebnisse gehabt hatten, sondern auch die gleiche Schwierigkeit der Sprache: ich bin mit drei Sprachen aufgewachsen, so entstand ein Verständnis, das durch die ganze dreißigjährige Beziehung sehr bedeutungsvoll gewesen ist.»[138]

Noch im Jahre 1952, nach einem längeren gemeinsamen Aufenthalt in Paris, wo beide fast täglich die Cinémathèque besuchten, beginnt Weiss mit ersten Filmprojekten. «Von 1952 bis 1961 drehte er sechs surrealistische und fünf dokumentarische Kurzfilme», zwischen sechs und zwanzig Minuten lang, bei denen er meist für Buch und Regie verantwortlich war, aber auch den Schnitt – und seltener die Kameraführung – übernahm und gelegentlich als Darsteller mitwirkte. Gleichfalls noch «abseits von der kommerziellen Filmindustrie drehte er 1958/59 den Spielfilm *Hägringen*»[139], eine 80 Minuten lange Adaption seiner frühen Prosa *Der Verschollene / Dokument I.* Eine kommerziell angelegte, aber nicht erfolgreiche Spielfilmproduktion *Svenska flickor i Paris* (*Schwedische Mädchen in Paris*) markiert dann den eher grotesken Tiefpunkt seiner Laufbahn als Filmschaffender. Man drehte in Paris, wo Weiss im Mai 1960 beobachten konnte, wie *Tinguely ...mit seinen beweglichen Skulpturen den Boulevard Montparnasse entlang*zog – ein Anlaß für skeptische Reflexionen über den Impuls der surrealistischen Kunst, *sich unmittelbar ins Alltagsleben einzumischen.*[140] Als der Produzent *den Abschnitt mit Tinguelys Umzug* aus dem Film herausschneiden und dafür *pornographische Szenen* einfügen wollte, so erinnert sich Weiss[141], habe er sich von der Produktion distanziert. (Tatsächlich sind die Szenen über Tinguely nicht herausge-

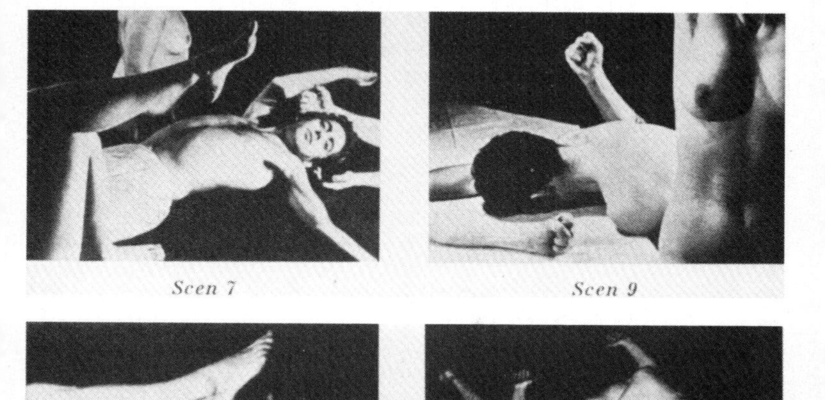

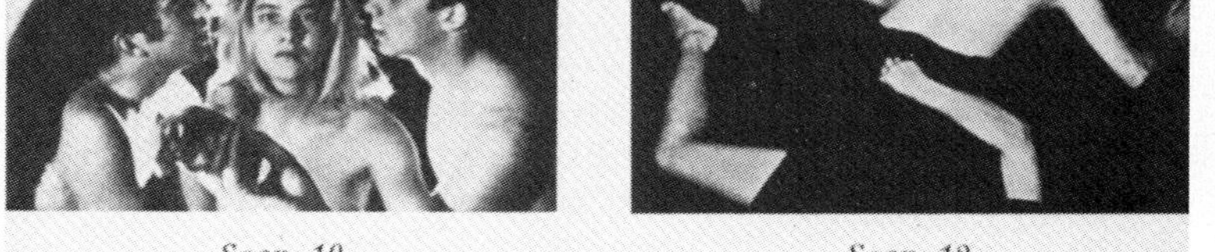

Hallucinationer – Experimentalfilm, 1952, mit Gunilla Palmstierna und Peter Weiss

nommen worden; man darf jedoch einen grundsätzlichen Dissens zwischen Weiss und dem Produzenten Lars Burman annehmen, was die Konzeption und Wirkungsabsicht des Films anging.[142]) Danach entsteht 1961 nur noch ein halbstündiger Dokumentarfilm, *Bag de ens facader* (*Hinter den monotonen Fassaden*), der im Auftrag der dänischen Filmzentrale die Lebensbedingungen in einem Kopenhagener Neubauviertel kritisch ausleuchtet.

Die konzeptionell und filmästhetisch interessantesten Kurzfilme von Weiss sind wohl *Hallucinationer* (*Halluzinationen*), auch *Studie II* genannt, ein sechsminütiger Experimentalfilm von 1952, und *Enligt lag* (*Im Namen des Gesetzes*), ein neunzehn Minuten langer Dokumentarstreifen über den Jugendstrafvollzug. Sie machen die zwei verschiedenen Linien seiner Filmarbeit (in *seltsam traumhaften Bildern* dort, in *quälend realistischen* hier) ebenso deutlich wie gewisse tiefer liegende Affinitäten zwischen ihnen.

Studie II / Hallucinationer ist eine Sequenz von «zwölf filmischen Tableaus», in denen nackte männliche und weibliche Körper bzw. Körperteile zu immer neuen, an ein Ballett oder Schattenspiel erinnernden

Figurationen zusammentreten, um «verschiedenen Gefühlslagen Ausdruck» zu geben, «ein Prozeß, der von der assoziativen Musik noch unterstrichen wird».[143] Sexuelles Begehren, Kommunikationslosigkeit und Kampf zwischen den Geschlechtern, Enttäuschung und schließlich Erfüllung lassen sich als einige affektive Grundsituationen erkennen. Dieser figurative Grundzug, verstärkt durch den Kontrast der weißen Körper vor dem tiefschwarzen Hintergrund (und das Fehlen eines realistischen Handlungsraums) läßt den Film überaus «graphisch» wirken; tatsächlich hat Weiss ihn aus einer *Serie von Zeichnungen,* gezeichneten *Grundsituationen* heraus entwickelt. Die Dynamik einer verfremdeten Körperlichkeit, in scheinbar autonome und mechanisch bewegte Glieder zersprengt, *große Arme, kleine Köpfe und große Füße und so weiter – diese Art von Deformation*, hat Weiss später aus seiner *surrealistischen Periode heraus* erklärt.[144] Sie gibt ein frühes Beispiel der eigenwilligen Bildsprache, die er in anderen Medien und zumeist im thematischen Zusammenhang von Kampf und *Tortur* aufnimmt und weiterentwickelt (zu denken wäre an die Dramaturgie des *Marat/Sade*-Stücks oder an die Figuren des Pergamon-Frieses, *ineinander verschlungen oder zu Fragmenten zersprengt*[145], die am Beginn der *Ästhetik des Widerstands* beschrieben werden).

Die dokumentarischen Kurzfilme wenden sich sozialen Mißständen und Außenseitergruppen der skandinavischen Wohlfahrtsgesellschaft zu. Filmästhetisch am ausgereiftesten ist, wie gesagt, *Im Namen des Gesetzes*, ein Streifen, der auch wegen der offiziellen Reaktionen und öffentlichen Kontroversen, die er hervorrief, einige Aufmerksamkeit verdient. Seit Anfang der fünfziger Jahre hatte Weiss gelegentlich, in Vertretung von Gunilla Palmstierna, Malkurse im Stockholmer Gefängnis Långholmen gegeben – auch in der Absicht, *denen ein wenig beizustehen, die noch einen Funken Hoffnung in sich hatten, die noch nicht anerkennen wollten, daß sie zerrieben werden sollten*[146]. Dort entstand auch die Idee zu einem Film über die *Vernichtungsinstitution*[147] Gefängnis. Weiss und sein Mitarbeiter Hans Nordenström erhielten eine Drehgenehmigung jedoch nicht für Långholmen, sondern für das als Reformmodell geltende Jugendgefängnis in Uppsala. Dort hielten sie sich, gemeinsam für Regie und Kameraarbeit verantwortlich, so lange auf, bis die Dreharbeiten den Häftlingen selbstverständlich geworden waren.

Der Film folgt dem Ablauf eines Normaltags in der Anstalt, vom Aufstehen und Frühstück über die Arbeit auf einem landwirtschaftlichen Betrieb bis zur abendlichen Freizeit in den komfortablen, mit Radiogeräten ausgestatteten Zellen. Es gibt darin keine «gestellten» Szenen, aber Weiss betont durch Kameraführung und Montage eine bestimmte Aussageintention. Kontrastmontagen von «Drinnen» und «Draußen» wie auch die Leitmotivik von Schlössern und Riegeln, Gitterfenstern und sich schließenden Türen arbeiten die soziale Funktion der Einschließung sehr suggestiv heraus. Die beiden Filmer arbeiten also mit ihrem dokumentarischen Material in gewisser Weise symbolisch (*visionär*, wie Weiss sagt). Eingangs- und Schlußszenen, in denen ein junger Mann, aus der Vogelperspektive gesehen, vergebens die steilen Wände einer Sandgrube hinaufzuklettern sucht, akzentuieren diese existentiell-symbolisierende Sichtweise, in der das konkrete soziale Phänomen zum Zeugnis der «condition humaine» wird. Damit ist auch eine allzu starre Entgegensetzung von «experimenteller» und «dokumentarischer» Ausrichtung im Filmschaffen von Weiss überholt. Was er im Blick auf den Kurzfilm *Vad ska vi göra nu då?* (*Was machen wir jetzt?*) von 1958 einräumt, der das Problem des *Jugendalkoholismus* und der *ersten Drogensüchtigen* aufgreift, gilt auch für *Im Namen des Gesetzes*. Bei allem Dokumentarismus zielt dieser Film auf eine «existentialistische» Deutung: *Ich glaube, daß der Ausdruck «existentialistisch» sehr gut zutrifft: denn es war am Ende der fünfziger Jahre, und ich stand sehr unter dem Einfluß von Sartre; und die Lebenssituation von Menschen, die nirgendwo hingehören, die Gleichgültigkeit, der Ekel – das waren damals unsere Haupteindrücke.*[148]

Im Februar wurde der Film von der Produktionsfirma Artfilm AG der staatlichen Filmzensur vorgelegt. Deren Leiter Erik Skoglund notiert bei der ersten Vorführung bedenkliche Passagen: «... unanständige Zeichnung (nackte Frau mit den Beinen stark auseinander sitzend) Insasse geht aufs Klo! – Nackte Körper mit bloßgelegten Geschlechtsorganen, Duschszene, Kamera in Nahaufnahme. – Pin-ups an den Wänden, mehr oder weniger pornographisch. Onanie schwach angedeutet (Rücken, Handbewegungen) in Zusammenhang mit einigen sexualsymbolischen Bildern (Tätowierung u.s.w.).» Auf Empfehlung einer Sachverständigenkommission wird *Im Namen des Gesetzes* zur öffentlichen Vorführung in Schweden – «jedoch nicht für Kinder unter 15 Jahren» – zugelassen, mit der zusätzlichen Anmerkung: «Schnitte: die Onanieszene und die danach direkt folgenden pornographischen Pin-up-Bilder an den Zellenwänden sind zu entfernen.»[149] Auch eine Beschwerde, die Weiss für die Artfilm AG formuliert, kann den Schnitt von ca. vier Filmmetern nicht abwenden. Die Abendzeitung «Expressen» druckt seine Ausführungen unter dem Titel: *Die nackte Wirklichkeit im Gefängnis wird verboten. Aber dem Rock-König ist alles erlaubt.* Peter Weiss vergleicht die Behandlung seiner Arbeit durch die Zensur mit der des damals anlaufenden Elvis Presley-Films «Jailhouse Rock»: *Interessant ist... die eigenartige Inkonsequenz und die Doppelmoral, die die Arbeit der staatlichen Filmzensur prägt. In dem kommerziellenProdukt wird das Gefängnismilieu als zynische Spekulation benutzt, als ein sensationeller Hintergrund ohne Spuren von psychologischer, humaner oder sozialer Tendenz. Der deutlich sexuell geprägte Körperrhythmus in der Haltung des Sängers deutet nicht nur Onanie an – sondern kraß gegen das Publikum ausgespielte Koitusbewegungen (deshalb die starke Suggestionskraft, die der Film nachweislich auf jugendliche Zuschauerinnen ausübt). Dieser Film ist*

Gegen Filmzensur! Demonstration am 1. Mai 1958; Weiss und Hans Nordenström tragen das Transparent

von der Filmzensur freigegeben und wird öffentlich ohne Schnitte aufgeführt. Prügeleien, Schlägerei und Wirklichkeitsverfälschung billigster Art werden einer Wirklichkeitsreportage mit psychologischem und humanem Engagement vorgezogen... Hingegen greift die Zensur ein, wenn in unserem Film die Sexualnot der eingeschlossenen Häftlinge in einem drei Sekunden langen Bild illustriert wird... Dieser Mangel an Urteilsvermögen ist nichts anderes als eine vollständige Inkompetenzerklärung für die Arbeitsmethoden der staatlichen Filmzensur.[150] Am 21. März 1958 ergeht ein endgültiger Bescheid: «Die Königlich Schwedische Regierung läßt die untertänige Beschwerde ohne Genehmigung.»[151]

Als kollektives *Über-Ich*[152] deutet Weiss, aus seiner surrealistisch geprägten Filmtheorie heraus, die Zensur. Ihr Eingriff gibt zugleich Anlaß zu einer längeren publizistischen Debatte und zu einer aufsehenerregenden Manifestation. Am 1. Mai 1958 protestierten Weiss, Nordenström und zahlreiche Freunde im Rahmen des großen Demonstrationszugs der Arbeiterparteien und Gewerkschaften gegen die Filmzensur. Einige dieser sogenannten «Filmfalangisten» werden später wichtige Positionen im schwedischen und internationalen Film- und Kulturleben einnehmen.[153]

Schließlich dürften diese Erfahrungen mit der Zensur Peter Weiss in seiner Abwendung von der Filmarbeit bestärkt haben, die sich auf Grund der schlechten ökonomischen Produktionsbedingungen bereits abgezeichnet hatte. Doch es gab auch erfreuliche Nachrichten: Ein Prosamanuskript, das Weiss sieben Jahre früher, vor seiner Wendung zum Film, verfaßt hatte, sollte nun in einem deutschen Verlag erscheinen. Die Zeit des *Schwankens* zwischen den Sprachen, den Künsten und Medien kommt damit zu einem Ende. Und die eigentliche Karriere des Schriftstellers, die ihn zum Weltruhm führen wird, kann nach langen Jahren des Aufschubs beginnen.

Durchbruch mit der Prosa. 1960–1962

Der erste Text von Peter Weiss, der in Deutschland gedruckt wurde (und dort lange Zeit als seine früheste Arbeit überhaupt galt), der sogenannte «Mikroroman» *Der Schatten des Körpers des Kutschers* ist gewissermaßen zweifach zu datieren; und in der Werkbiographie des Autors hat er einen anderen Stellenwert als im literarischen Leben der Bundesrepublik. Verfaßt im Jahre 1952, schloß er die Reihe der Schreibversuche ab, die Weiss nach Kriegsende, mehr oder minder schwankend *zwischen zwei Sprachen*[154], und in beiden ohne nennenswerte Resonanz, unternommen hatte. *Nach meinen beiden schwedischen Büchern «Från ö till ö» (1947) und «De besegrade» (1948) fand meine Produktion ein Jahrzehnt lang kein Interesse von seiten der Verlage, und nach dem «Schatten des Körpers des Kutschers» und der «Versicherung», beide 1952 geschrieben, beschäftigte ich mich vor allem mit der Herstellung von Bildern und Filmen.*[155] Frau Gunilla erinnert sich ihrerseits daran, daß das neue Prosamanuskript «sieben Jahre» bei deutschen und schwedischen Verlagen herumwanderte, «bis es schließlich in deutscher Sprache veröffentlicht wurde».[156]

Das geschah schließlich 1960 auf Vermittlung des Literaturwissenschaftlers und Kritikers Walter Höllerer in der Reihe «Tausenddrucke» des Suhrkamp-Verlags, deren limitierte Auflage bereits den Anspruch auf innovatorische Exklusivität anmeldete.[157] Tatsächlich konnte ein genauer Kenner des literarischen Betriebs, Hans Magnus Enzensberger, zwei Jahre später berichten, das Buch sei «bereits legendär geworden; es wurde nur in tausend Exemplaren gedruckt, doch liegt es auf den Schreibtischen der neuesten Prosaisten Deutschlands»[158]. Was hofften sie darin zu finden?

Der kaum hundertseitige, mit Collagen des Autors illustrierte Text ist (wie manche späteren Arbeiten) in elf Abschnitte gegliedert; sie beschreiben von unterschiedlichen Standpunkten aus alltägliche Realitätsausschnitte und Geschehnisse auf einem nicht näher bestimmten ländlichen Anwesen, das der Aufenthalt mehrerer *Gäste*[159] als eine Art heruntergekommener Gasthof erscheinen läßt. (Der wenig später beschriebene autobiographische Roman *Fluchtpunkt* gibt übrigens ein authentisches Vorbild[160] zu erkennen.) Man muß, um der Eigenart des Textes gerecht zu werden, präzisierend sagen: Ein anonym bleibendes, nur gelegentlich ins Geschehen eingreifendes «Ich» beschreibt diese alltägliche, ja zumeist abstoßende Realität – oder, genauer, nicht so sehr die Realität, sondern seine Realitäts-Wahrnehmungen, die nicht durch einen Handlungs- oder Bedeutungszusammenhang, sondern allein durch seinen Standpunkt und Blickwinkel strukturiert und begrenzt sind.

Durch die halboffene Tür sehe ich den lehmigen, aufgestampften Weg und die morschen Bretter um den Schweinekofen. Der Rüssel des Schweines schnuppert in der breiten Fuge wenn er nicht schnaufend und grunzend im Schlamm wühlt. Außerdem sehe ich noch ein Stück der Hauswand, mit zersprungenem, teilweise abgebröckeltem gelblichen Putz, ein paar Pfähle, mit Querstangen für die Wäscheleinen, und dahinter, bis zum Horizont, feuchte, schwarze Ackererde. Dies sind die Geräusche; das Schmatzen und Grunzen des Schweinerüssels, das Schwappen und Klatschen des Schlammes, das borstige Schmieren des Schweinerückens an den Brettern, das Quietschen und Knarren der Bretter, das Knirschen der Bretter und lockeren Pfosten an der Hauswand, die vereinzelten weichen Pfiffe des Windes an der Ecke der Hauswand und das Dahinstreifen der Windböen über die Ackerfurchen...

Deutlich wird schon an diesem Texteinsatz: Der Stoff des Erzählens ist nicht von vornherein als erzählenswert ausgewiesen, scheint eher antiliterarisch; der Erzählerstandpunkt ist ein «außerhalb» gelegenes *Häuschen*, ein primitiver Lokus; der Blickwinkel erweist bald seine Beschränktheit. Die visuellen Wahrnehmungen werden nun durch sehr genau differenzierte akustische Eindrücke ergänzt, die aber ihrerseits erst mit Hilfe von Schlußfolgerungen, die auf Erfahrungswissen beruhen, identifiziert und eingeordnet werden: *Das ruckhafte, zuweilen kurz aussetzende und wieder heftig einsetzende Hin und Her der Säge deutet darauf hin, daß sie von der Hand des Hausknechts geführt wird. Auch ohne dieses besondere, oft von mir gehörte und durch Vergewisserung bestätigte Merkmal wäre es nicht schwer zu erraten, daß der Hausknecht die Säge handhabe, da außer ihm nur ich, und selten einmal der Hauptmann, doch nur am frühen Morgen und mit unverkennbarer Langsamkeit, sich des Holzes im Schuppen annehmen; es sei denn, daß eben ein neuer Gast eingetroffen wäre und sich mit dem Werkzeug und dem straffen Vorbeugen und Zurückziehen des Rückens und der vorstoßenden und zurückschnellenden Armbewegung von der Steifheit in den Knochen nach der langen Wagenreise hierher erholen will. Doch ich habe den Wagen nicht kommen hören...*[161]

Die deskriptive Zerlegung alltäglicher Abläufe und das Infragestellen naheliegender Vermutungen wirkt zweifellos verfremdend, läßt die Realität als unsicher und fragwürdig erscheinen, destruiert konventionalisierte Wahrnehmungen und Deutungen (analog zu den beigegebenen Collagen des Autors oder auch zu den Verfahren der Großaufnahme und der Zeitlupe, mit denen der Filmemacher Weiss gleichzeitig experimentiert). «Die Geschehnisse werden pedantisch genau so mitgeteilt, wie sie

Peter Weiss: Collage zu «Der Schatten des Körpers des Kutschers», 1959

wahrgenommen sind. Alles Vorwissen, das ein Vorstellen über die Wahrnehmung hinaus zuließe, ist ausgeschaltet», kommentiert Heinrich Vormweg[162] – und faßt damit doch nur eine Seite des Verfahrens als Destruktion von naivem Realismus, erzählerischer Fiktion und Deutung. Denn man kann die gleiche Passage auch in dem Sinn lesen, daß reine Deskription sehr schnell an eine Grenze stößt, wo die isolierte Wahrnehmung der *Vergewisserung* im Erfahrungshorizont des schreibenden Ich bedarf – und daß neben der wahrgenommenen Realität auch eine bloß imaginierte – *es sei denn, daß...* – miterzählt wird: im weitesten Sinne also Fiktion wieder in ihr Recht tritt.

Die vielzitierte Passage, in der das schreibende Ich seine immanente Produktionsästhetik formuliert, zeigt eine ähnliche Ambivalenz: *Zum ersten Mal in meinen Aufzeichnungen um weiter als einen sich im Nichts verlierenden Anfang hinausgeratend setze ich nun fort, indem ich mich an die Eindrücke halte die sich mir hier in meiner nächsten Umgebung aufdrängen; meine Hand führt den Bleistift über das Papier, von Wort zu Wort und von Zeile zu Zeile, obgleich ich deutlich die Gegenkraft in mir verspüre, die mich früher dazu zwang, meine Versuche abzubrechen und die mir auch jetzt bei jeder Wortreihe die ich dem Gesehenen und Gehörten nachforme einflüstert, daß dieses Gesehene und Gehörte allzu nichtig sei um festgehalten zu werden und daß ich auf diese Weise meine Stunden, meine halbe Nacht, ja, vielleicht meinen ganzen Tag völlig nutzlos verbringe; aber dagegen stelle ich folgende Frage, was soll ich sonst tun; und aus dieser Frage entwickelt sich die Einsicht, daß auch meine übrigen Tätigkeiten ohne Ergebnisse und Nutzen bleiben.*[163]

Das ist gewiß als «Poetik der sensuellen Wahrnehmung»[164] aufzufassen, wie Vormweg es tut; aber die – von ihm nicht zitierten – Einschränkungen und Zweifel des Erzähler-Ichs gegenüber dem eigenen Schreibverfahren[165] sollten nicht überhört werden; sie signalisieren, daß ihm zumindest im Entwicklungsgang des Autors Weiss nur eine experimentelle und transitorische Funktion zukommt.

In der Rezeption der frühen sechziger Jahre dominiert allerdings die von Vormweg und anderen Kritikern geförderte Lesart. Das *Schatten-*Buch von Weiss schien trotz fast zehnjähriger Verspätung noch rechtzeitig genug in die Bundesrepublik gekommen, um – im Zusammenspiel mit den vergleichbaren Impulsen des französischen «Nouveau roman» – zu einer grundsätzlichen Veränderung von Schreibweisen und intendierter Literaturfunktion beitragen zu können; pauschal darf es als «Ausgangspunkt dessen betrachtet werden, was in der Bundesrepublik der 60er Jahre als ‹Beschreibungsliteratur› bekannt wurde»[166]. Autoren wie Jürgen Becker, Ror Wolf, der junge Peter Handke[167] haben zweifellos an diesen Ausgangspunkt angeknüpft, Kritiker wie Vormweg, Helmut Heißenbüttel, Dieter Wellershoff versuchten die neue Beschreibungsprosa programmatisch zu untermauern – all dies im weiteren Kontext zu sehen als ein Versuch, die bislang vorherrschenden Schreibweisen und Deutungsmuster der Erzählliteratur zu unterlaufen bzw. zu ersetzen. Diese Opposition galt dem symbolischen Realismus von Autoren der Kriegsgeneration, unter denen der mit Weiss gleichaltrige Heinrich Böll herausragte; sie galt aber auch den nachrückenden Autoren wie Günter Grass, Martin Walser, Uwe Johnson. Bei allen individuellen Unterschieden haben ja deren Erzählwerke – 1959 bzw. 1960 erschienen «Billard um halbzehn», «Die Blechtrommel», «Mutmaßungen über Jakob» und «Die Halbzeit» – eine Gemeinsamkeit darin, daß sie die Selbstverständlichkeit der erzählerischen Fiktion zwar brechen, problematisieren und ironisieren, andererseits aber doch so weit wahren, daß sie ihre erzählten Geschichten auf die Geschichte, genauer: auf eine bis in die zwanziger Jahre zurückreichende historische Erfahrung rückbeziehen können, die durchweg «im Bann des durch die Naziherrschaft gestifteten Unheils» steht. Mit dem «Mißtrauen gegenüber der literarischen Fiktion», das man unter anderem bei Weiss vorgezeichnet und seinerseits zum literarischen Thema gemacht sah, war insofern auch eine Abkehr vom sogenannten Nonkonformismus verbunden, von jener «mehr oder minder moralisierenden Kritik, die von Böll über Koeppen bis Enzensberger und Walser in den fünfziger und Anfang der sechziger Jahre betrieben worden war»[168] und die ihre politische Wirkungslosigkeit in der Realität von Kaltem Krieg und CDU-Staat erwiesen zu haben schien.

Ein Blick aufs Ende des Jahrzehnts zeigt inzwischen, daß das Konzept einer auf Beschreibung und Sprachskepsis fixierten Literatur seinerseits nur ein Durchgangsstadium war, das unter dem kulturkritischen Druck der Studentenbewegung rasch überholt bzw. in neue Schreibstrategien (zunächst den gesellschaftskritischen Dokumentarismus, dann bald auch neue Formen autobiographischen Schreibens) transformiert wurde. Die andauernde Hochschätzung gerade der *Schatten*-Arbeit durch manche Kritiker ist insofern ambivalent; literarästhetisch begründet und diskussionswürdig ist Vormwegs Urteil, Weiss sei nie wieder so nahe «an die zentrale Problematik der Literatur selbst»[169] herangekommen (gemeint ist die Erprobung und Reflexion der Sprache und ihrer Leistung im Blick auf die außersprachliche Realität). Wenn andere Kritiker hingegen beklagen, daß ein «in höchstem Maße versprechender Anfang» nicht weitergeführt, vom Autor «zu Unrecht» als «Sackgasse» empfunden worden sei, so verdankt sich dies Lob der frühen Arbeit primär wohl dem Ressentiment gegen die politische Fundierung von Schreibstrategie und Wirkungsabsicht beim späteren Peter Weiss.[170]

Bedenkt man nochmals den Stellenwert der *Schatten*-Prosa im Arbeitsprozeß des Autors, so wird eine unter der «Poetik der sensuellen Wahrnehmung» immer noch kenntliche Motivschicht bedeutsam, die durch den Wechsel der Schreibweisen hindurch werkgeschichtliche Kontinuität erkennen läßt. Das beschreibende Ich steht «draußen», ist befangen in

Vereinzelung, *unzugehörig*; schon die erste Seite spielt auf ein überliefertes Selbstdeutungsmuster an, das Weiss in späteren Arbeiten ausdrücklich heranzieht: der Erzähler ist der *verlorene Sohn*.[171] Und was weiterhin beschrieben wird, Szenen familiärer Gewalt, Prügelrituale, Zustände pathologischer Erstarrung und Auflösung, und schließlich, in der virtuosen Schlußsequenz, das groteske, wiederum von außen beobachtete Schattenspiel, in dem sich *der Schatten des Leibes des Kutschers... mit gesammelter Gewalt in den Schatten des Leibes der Haushälterin hinein*[172] wirft – all dies gehört in den existentiell begründeten Motivkomplex von Isolation, sexueller Obsession und *Tortur*, ausgeformt in Bildern der Entfremdung und latenten Gewaltsamkeit, die durch ihre groteske Schattenhaftigkeit keineswegs weniger bedrohlich wirken. Andererseits dürfte die streng kalkulierte und kontrollierte Schreibweise dieses Textes wohl als Korrektiv einer zuvor – und seit den Versuchen der dreißiger Jahre – dominierenden, «extrem subjektiven Erzählweise»[173] mit diffusen Strukturen und einem Überhang an existentieller Symbolik gewirkt haben. Von daher könnte man dann sogar spätere Arbeiten mit ihrer strengen Strukturierung und der Beschränkung auf Deskription und Bericht in gewisser Weise in der Traditionslinie dieser frühen Beschreibungsprosa sehen.

Während das Prosafragment *Das Gespräch der drei Gehenden*, 1962 verfaßt und im folgenden Jahr bei Suhrkamp – inzwischen schon «Hausverlag» des Autors – erschienen, durchaus noch der sprachexperimentellen Linie der *Schatten*-Prosa zugerechnet werden kann, hatte Weiss sich in zwei Arbeiten, die 1960/61 niedergeschrieben wurden, bereits einem anderen, vergleichsweise konventionellen Erzählmuster zugewandt. Möglicherweise ist gerade diese – scheinbare – Konventionalität für die Hilflosigkeit vieler Kritiker vor diesen Werken verantwortlich. Anerkennung finden sie einerseits bei Autoren, die schon aus Generationsgründen einem eher traditionellen Literaturkonzept anhingen. Hermann Hesse, der *Meister*, lobt in einem Brief vom Mai 1961 den soeben erschienenen *Abschied von den Eltern* als «ein ebenso prachtvolles wie schreckliches Buch, das jeden Leser ergreifen und tief bewegen muß. Rein literarisch betrachtet ist es vollkommen»; Vorbehalte äußert er nur gegen einen «Teil des Inhalts», die «Geschichte Ihrer langdauernden Sexualhemmung».[174] Andererseits ist es wieder Enzensberger, der unter der Oberfläche des Textes eine Radikalität aufzeigt, der gegenüber die früheren Sprachexperimente fast spielerisch anmuten.

Den 1962 gedruckten *Fluchtpunkt*, laut Untertitel ein *Roman*, rechnet er kategorisch einer «Schreibübung» zu, die trotz vielfacher Trivialisierung «die gefährlichste» sei: «...die wahre Autobiographie. Sie ist radikal, erlaubt keine Ausflucht, nicht dem Schreiber und nicht dem Leser»... und wird in solcher Unbedingtheit repräsentativ. Denn «bedeutend kann das sein, was im entlegensten Winkel vorgeht, wenn einer unerbittlich genug ist, es zu erzählen. So ein Mann ist Peter Weiss, so ein

Die Familie

Das Wohnhaus . . .

und die Fabrik in Alingsås

Buch ist ‹Fluchtpunkt›» – und, darf man ergänzen, war bereits *Abschied von den Eltern*, erschienen 1961: «... eine Autobiographie und durchaus nicht, wie der Verlag uns weismachen möchte, ein Roman»[175] bzw. eine *Erzählung*.

Man tut der Autonomie des Einzelwerks keine Gewalt an, wenn man *Abschied von den Eltern* und *Fluchtpunkt* in einem engen Zusammenhang liest und betrachtet, so wie sie ja auch kurz hintereinander, mehr oder weniger in einer Schreibbewegung, verfaßt wurden. Zusammen bilden sie ein spätes, eindringliches und in der literarischen Szenerie der Zeit vereinzeltes Exemplar der «deutschen hochbürgerlichen» Autobiographie als Erzählung und Selbstreflexion der Entwicklungsgeschichte oder Sozialisation des Individuums von den ersten noch faßbaren Erfahrungen bis zum – sei es noch so labilen – «Erreichen der Identität» in der festen «Übernahme einer sozialen Rolle».[176] Es versteht sich, daß dieser späte-

Eine «destruktive Gewaltfigur»... Collage zu «Abschied von den Eltern», 1962

stens seit Goethes «Dichtung und Wahrheit» kanonisierte Formtypus von Weiss modifiziert wird, indem er die spezifischen Ausprägungen eines spätbürgerlichen, von den Zäsuren und Katastrophen der ersten Hälfte des 20. Jahrhunderts überschatteten Sozialisationsprozesses geltend macht. Das betrifft nicht nur die Inhalte des Erinnerten und Erzählten, sondern auch die Erzählform selbst, die das strukturelle Moment der Rückerinnerung, der analytischen Reflexion auf die erlebte Vergangenheit gegenüber dem historischen Stoff zusätzlich aufwertet. Besonders deutlich geschieht dies in *Abschied von den Eltern*: «Der Autobiograph setzt anläßlich des Todes seiner Eltern ein, er erinnert in einem durchgehenden, absatzlosen Textstück die Geschichte seiner Erziehung bis hin zur Loslösung, zum ‹Abschied von den Eltern›. Der endgültige Abschied... wird zum Beginn der Autobiographie, zum Anstoß der Erinnerung gleichsam; diese endet mit dem Verlassen des Elternhauses, dem vorläufigen Abschied des Herangewachsenen von seinen Erziehern. Er ist nunmehr allein, aber nicht frei: Verinnerlicht, als Bestandteil seiner Persönlichkeit, trägt er die Gebote der Eltern in sich...»[177] Die Deutung des Autobiographie-Forschers Bernd Neumann läßt bereits vermuten, warum Weiss seine Autobiographie in zwei Büchern erzählt: sie entsprechen zwei Phasen seines Sozialisations- und Individuationsprozesses. Der Schluß des ersten Bandes ist motiviert vom plötzlichen, in einem *Augenblick* aktualisierten *Schrecken über meine Vergangenheit*, er registriert die endlich gelungene Lösung aus dem Zwangszusammenhang familiärer Entfremdung – *warum haben wir diese Tage und Jahre vertan, lebendige Menschen unterm gleichen Dach, ohne einander ansprechen und hören zu können*[178] –, ohne daß eben diese Befreiung schon die Freiheit eigenen, selbstbestimmten Handelns und Verhaltens bedeutet. Der Schluß des *Abschieds von den Eltern* ist insofern von Offenheit, Dynamik und einem Pathos des Aufbruchs geprägt (wie man es ganz ähnlich aus der Schlußpassage des gattungsprägenden Textes, aus Goethes «Dichtung und Wahrheit» kennt): *Und die Unruhe, die jetzt begonnen hatte, ließ sich nicht mehr eindämmen, nach Wochen und Monaten langsamer innerer Veränderungen, nach Rückfällen in Schwäche und Mutlosigkeit, nahm ich Abschied von den Eltern. Die Räder der Eisenbahn dröhnten unter mir mit unaufhörlichen Kesselschlägen, und die Gewalten des Vorwärtsfliegens schrien und sangen in beschwörerischem Chor. Ich war auf dem Weg, auf der Suche nach einem eigenen Leben.*[179]

Erzählt dieser Text «die Angstgeschichten des Knaben aus bürgerlichem Hause», *Fluchtpunkt* dagegen die «Problemgeschichte des jungen Künstlers»[180], so lassen sich aus dieser thematischen Differenz auch erzählerische Unterschiede zwischen beiden Büchern verstehen. *Abschied von den Eltern* reiht die Wahrnehmungen und Erlebnisse der Kindheits- und Jugendjahre zu einem ununterbrochenen Erinnerungs- und Erzählstrom, dessen strukturelle Affinität zur psychoanalytischen Assoziations- und Deutungstechnik nicht übersehen werden kann. Einzelne Bilder, Figuren und Situationen treten wie Traumbilder, konturenscharf und leuchtkräftig, aus einem bloß angedeuteten Handlungsrahmen ohne genaue Datierungen und Ortsangaben hervor, schieben sich in- und übereinander und werden gleichzeitig vom Erzählerstandpunkt des Jahres 1960 her ausgedeutet. *Dinge so beschreiben, als sähe ich sie zum ersten Mal, als seien sie mir unbekannt. Das Schreiben dann ein Versuch, ihre Funktionen zu deuten. Eine Entdeckungsreise*, lautet eine Tagebuchnotiz aus dem Oktober 1960; gleichzeitig werden *Korrekturen an dem Buch* erwähnt, *das bis jetzt TEXTUR hieß, und nun den Titel ABSCHIED VON DEN ELTERN erhalten hat.*[181]

Von dieser Anlage her erklärt sich, daß die erste autobiographische Erzählung in besonderem Maße exemplarisch wirkt; sie evoziert und deutet Konstellationen des alltäglichen Schreckens, die weniger einem individuellen Lebensschicksal als vielmehr den grundlegenden Strukturen der Familie und anderer Sozialisationsinstanzen in der krisenhaft erschütterten spätbürgerlichen Gesellschaft entspringen. *Fluchtpunkt* hingegen, die Fortsetzung, für die wiederum verschiedene Titel erwogen wurden (*DER VERLORENE, X, HORROR VACUI*[182]), ist wesentlich *Bestandsaufnahme*[183] des weiteren, von den konkreten Lebensumständen des Exils und der individuellen Entscheidung zum Künstlertum geprägten Lebenswegs. Hier wird nun insofern «präziser» erzählt, als diese Umstände, als Ort und Zeit, die Personen, denen das erzählende Ich begegnet (und die bei leichter Namensveränderung denen entsprechen, die Weiss kennengelernt hatte), präzise benannt, beschrieben und charakterisiert werden. Die erzählte Zeitspanne ist chronikalisch genau fixiert: *Am 8. November 1940 kam ich in Stockholm an* – so lautet der erste Satz, und im letzten ist vom *Frühjahr 1947* die Rede.[184] Innerhalb dieses Rahmens werden nun thematische Stränge weitergeführt, die bereits im *Abschied* angelegt waren: Freundschaften und Sexualität; ästhetische Erfahrungen und prägende Lektüre; die Suche nach dem eigenen künstlerischen Weg. Hinzu kommen etwa die Auseinandersetzung mit Umwelt und Gesellschaft des Exillandes Schweden, die Begegnung mit anderen sozialen Schichten (Episode als Waldarbeiter) – und immer wieder auch Versuche, die eigene Identität zu fassen und zu bestimmen, sei es im Künstlerischen, sei es im Sozialen.

Verbunden sind diese Themenkomplexe mit der – ebenfalls gattungsspezifischen – Reflexion auf die Funktionen und Schwierigkeiten der Erinnerung und der autobiographischen Vergegenwärtigung des Vergangenen. In Gedanken an den früheren Freund Max (der sich in der Realität tatsächlich über eine gewisse Verzeichnung seiner Person in Weiss' Buch beklagte), resümiert das Erzähler-Ich des *Fluchtpunkts*, durchaus selbstkritisch: *Über einen Abstand von zwei Jahrzehnten versuche ich, mir das Stockholm der ersten Kriegsjahre zu vergegenwärtigen. Doch auf der Suche nach den Wegen, die wir damals gemeinsam gingen, drängt sich mir das Bild einer neuen, gewaltsam wachsenden Großstadt auf... Und so wie die Stadt sich verwandelt hat, so habe ich mich selbst verändert. Befremdend sehe ich meine Erscheinung auf einem Bild, von einem Straßenphotographen vor zwanzig Jahren aufgenommen, am Rande des Tiergartens, auf dem Platz vor dem Zirkusgebäude. Wir stehen nebeneinander, Max und ich. Ich trage einen langen, gegürteten Mantel und einen Filzhut mit breiter, gewellter Kante. Max hat seinen engen dunklen Mantel an, dessen Ärmel zu kurz sind, er hat seinen steifen Hut auf und die Pfeife im Mund. Wir starren erwartungsvoll in das Objektiv, mit schiefem Lächeln... Verschwunden sind diese altmodischen, lächerlich wirkenden Gestalten, die*

Max Barth und Peter Weiss in Stockholm, 1940

wir damals so selbstverständlich zur Schau trugen. Tausendfach verändert sind unsere Gedanken, Empfindungen, Erwägungen, versuchsweise werden sie hingeschrieben, zwanzig Jahre später, nicht mehr überprüfbar, denn der einzige Zeuge, der mich widerlegen könnte, mein damaliges Ich, ist verwittert, in mich aufgegangen. Mit dem Schreiben schaffe ich mir ein zweites, eingebildetes Leben, in dem alles, was verschwommen und unbestimmt war, Deutlichkeit vorspiegelt.[185] Diese Passage und besonders ihr Schlußsatz ist zweifach bemerkenswert: zum einen als Mahnung, den Anteil der ästhetischen Konstruktion, des Imaginären, der Selbstdeutung und Selbsttäuschung in diesen autobiographischen Erzählungen nicht zu ignorieren. Tatsächlich scheint es, als habe Weiss insbesondere Krisenerfahrungen verschiedenster Art (z. B. Beziehungskrisen, aber auch seine Sprach- und Integrationsprobleme im Exilland) in der Niederschrift durchweg zugespitzt, radikalisiert; in einem späten Brief räumt er ein: *In beiden Büchern ist vor allem autobiographisches Material enthalten, dies jedoch frei bearbeitet und auch mit viel «Erfundenem» durchsetzt, oder «überhöht».*[186] Wenn die beiden Bücher denn als *Bestandsaufnahme* gelten sollen, dann gewiß nicht nur im Sinne des faktisch Geschehenen, sondern ebensosehr in dem einer existentiellen Selbstinterpretation, als erzählerische Explikation und Stilisierung des subjektiv «Erlebten».

Zum anderen aber deutet jener Satz auf einen grundlegenden Impuls und Anspruch des Autors Weiss (vor allem, wenn auch nicht nur in der Prosa): *Mit dem Schreiben* schafft er sich nicht nur *ein zweites, eingebildetes Leben*, sondern gleich mehrere. Schon in *Die Besiegten* war die erzählerische Aufspaltung und Entwicklung verschiedener Lebensrollen, nicht gelebter, aber denkbarer Existenzformen, strukturierendes Prinzip. In *Abschied* und *Fluchtpunkt* taucht neben dem eigenen Lebensgang das Schicksal der Freunde auf, die den Nazis nicht entkommen konnten; *Die Ermittlung* setzt, dramatisch distanziert, die Opfer- und die Henker-Existenz gegeneinander; die späte *Ästhetik des Widerstands* schließlich wird, als fiktive Autobiographie, zur Apologie des *eingebildeten Lebens* eines antifaschistischen Widerstandskämpfers. All diese Möglichkeiten aber sind und bleiben historisch-politisch determiniert durch die Realität des Faschismus und seiner terroristischen Gewalt.

Das gilt auch für die beiden autobiographischen Bände, die man jedoch als nur-private Bekenntnisse sehr mißverstehen würde. Politisch sind sie, indem sie die «Flucht in eine radikale Innerlichkeit» und «extreme Individualisierung, das heißt schroffe Ablehnung des Politisch-Gesellschaftlichen»[187] als sozialisationsbedingte Reaktionsweisen auf eine historisch-politische Situation verständlich und anschaulich machen – zugleich aber schon der Kritik (innerhalb des Erzählgefüges wie auch im Rezeptionshorizont) aussetzen. Das erlebende Ich kann sein Exil gewiß nur als quasi existentielles Faktum verstehen: *Die Emigration hatte mich nichts gelehrt. Die Emigration war für mich nur die Bestätigung einer Unzugehörigkeit, die ich von frühster Kindheit an erfahren hatte.* So heißt es im *Abschied*, und im *Fluchtpunkt*: *Für mich bedeutete die Emigration keine Stellungnahme. Ich war Fremder, wo ich auch hinkam.*[188] Konsequenterweise ist ihm auch die eigene künstlerische Produktivität nur Ausdruck, solipsistische Artikulation, nicht Medium der Mitteilung oder gar eine *Waffe*[189].

Aber nachhaltiger als zuvor wird der Erzähler nun, durch ältere Freunde aus dem Kreis der antifaschistischen Emigration wie Max Bernsdorf (d. i. Max Barth) oder Hoderer (d. i. Dr. Max Hodann) mit alternativen Deutungs- und Verhaltensmöglichkeiten konfrontiert. *Der Sinn deines Überlebens könnte sein, daß du erkennst, wo das Übel liegt und wie es zu bekämpfen ist*, sagt Hoderer zu ihm, und: *... du bist verloren, wenn du dich nicht einordnen kannst in eine Solidarität.*[190] Das sind Stichworte, die innerhalb der Werkbiographie von Peter Weiss weit vorausdeuten, auf das Erzählwerk, in dem die Jahre des Exils neu und anders erzählt werden. Für das Ich des *Fluchtpunkt* sind sie noch nicht realisierbar, obwohl sie doch, treffsicher genug, auf den wunden Punkt seines Selbstverständnisses zielen, das «schlechte Gewissen» über den eigenen radikalen Individualismus. So interpretiert Karl Heinz Bohrer[191]; man kann dies schlechte Gewissen aber sehr viel präziser fassen: als den Schuldkomplex, den die Sozialpsychologie das «Überlebenssyndrom»[192] nennt und insbesondere bei geretteten Insassen der Konzentrationslager festgestellt hat. Das Thema wird bereits im *Abschied* angeschlagen: *Peter Kien wurde ermordet und verbrannt. Ich entkam* – und im *Fluchtpunkt* mehrfach wieder aufgegriffen: *Ich war entkommen, und Peter Kien war zurückgeblieben, in einem entstellten Dasein.*[193] Ins *Frühjahr 1945* wird, unter dem Eindruck eines Films über die Vernichtungslager, der Erkenntnisschock datiert: *Auf der blendend hellen Bildfläche sah ich die Stätten, für die ich bestimmt gewesen war, die Gestalten, zu denen ich hätte gehören können.* Die Zufälligkeit des lebensrettenden Schicksals und das Bewußtsein einer gewissen Gleichgültigkeit verdichten sich zum quälenden Schuldgefühl: *Hatte ich diese Welt nicht geduldet, hatte ich mich nicht abgewandt von Peter Kien und Lucie Weisberger, und sie aufgegeben und vergessen. Es schien nicht mehr möglich, weiterzuleben, mit diesen unauslöschlichen Bildern vor Augen.*[194] Zusätzlich vertieft wird dies Schuldgefühl durch ein aus Kindheitserfahrungen gespeistes Bewußtsein davon, im Grunde der *Partei der Stärkeren* zugehören zu wollen, durchaus auch selber der *Grausamkeit* fähig zu sein: *Deutlich sah ich... daß ich auf der Seite der Verfolger und Henker stehen konnte. Ich hatte das Zeug in mir, an einer Exekution teilzunehmen.*[195] Diese schmerzhafte Selbsterkenntnis markiert die Spitze der Kritik an einer autoritären, im sadomasochistischen Komplex resultierenden Erziehung und zugleich ein lebensgeschichtlich fundiertes Kernstück des Faschismusverständnisses von Peter Weiss. Sie kehrt – in fast identischen Formulierungen, wenn auch in neuen Argumentationsmustern – in wichtigen späteren Texten wie *Meine Ortschaft* oder *Die Ermittlung* wieder.

Das Ich im *Fluchtpunkt* ist jedoch noch nicht fähig, seinen Schuldkomplex in politisches Handeln aufzulösen, wie es Hoderer verlangt. Daß diesen selbst die politische Resignation in den Selbstmord treibt, macht seine Forderung für den Erzähler nicht eben hilfreicher. *Was willst du denn*, hält der dem toten Freund in einem imaginären Gespräch entgegen: *Soll ich verzweifeln, daß ich nicht ermordet worden bin. Soll ich mich töten, wie du. Auch dies konnte ihn nicht aus der Fassung bringen. Du brauchst dich nicht zu töten, sagte er, denn du gehörst zu denen, die aussterben und vergehen in ihrer Unbeteiligtheit. Was soll ich denn tun, fragte ich. Aber er antwortete mir nicht mehr. Für wen soll ich denn Partei ergreifen. Keine Antwort.*[196]

Nicht politische Parteinahme, sondern ästhetische Erfahrungen sind es, die dem Ich einen *festen Ort* versprechen. Da sind zunächst Lektüre-Erfahrungen, die – wie schon für das Kind im *Abschied* beschrieben – als

Impulse, Katalysatoren, Muster der Identitätsfindung und Selbstdeutung des lesenden Ich wirksam werden. Im *Fluchtpunkt* wird zunächst die Ablösung von *Hesses Werken* und ihrem einstigen Zauber notiert; sie bleiben für immer *verwoben mit Erinnerungen*, umschließen *die Träume und Phantasien aus den Jahren des Aufwachens.* In der wenig verträumten Gegenwart aber schafft sich nun eine lang erwartete *härtere Stimme* Gehör: *Plötzlich war ich wach für die Eröffnungsworte des Prozesses. Jemand mußte Josef K. verleumdet haben, denn ohne daß er etwas Böses getan hätte, wurde er eines Morgens verhaftet. Dieses Buch las ich in der ersten Nacht in meinem neuen Zimmer.* Kafkas Romane, ein Geschenk von Peter Kien aus Prag, verlegen ihrem Leser in Stockholm alle idyllischen oder ästhetizistischen *Rückzugsmöglichkeiten* und Ausflüchte; er liest sie als Parabeln seiner eigenen Verlorenheit und Hilflosigkeit. In seinen verzweifelten Bemühungen um Rettung der Freunde aus dem Konzentrationslager, im Labyrinth der *Ämter*, erfährt er sich als ein zweiter Josef K. *So begann ich jetzt, beim Lesen des Prozesses, hellhörig zu werden für den Prozeß, der mich gefangen nahm.*[197] In gewissem Sinn aber verstärkt diese Lektüre die Lähmung und Hemmnisse der persönlichen Situation. *Kafka hatte nie gewagt, die Urteilssprüche der Richter zu revidieren, er hatte die Übermacht verherrlicht und sich ständig vor ihr gedemütigt.* Ein ganz anderes Buch, ebenfalls Geschenk eines Freundes, bewirkt gegen Ende von *Fluchtpunkt*, man schreibt 1946, die befreiende Lösung: ein gehefteter roter *Band, mit dem Titel Tropic of Cancer in einem grün detonierenden Flecken.* Die Titelgraphik von Henry Millers Roman wird zum Symbol einer *Sprengung*, die ihm einen neuen, aktiven und lustvollen Weltbezug möglich scheinen läßt. Die *Revolte gegen jede Autorität* scheint in *diesem grünen und roten Buch* selbstverständlich, *die eigene Stimme*, die *eigenen Wünsche* werden zum Maß allen Verhaltens, *und das Geschlechtliche, das bei Kafka in einem dumpfen Hintergrund lag, nahm tropische Üppigkeit an.*[198] Die Henry Miller-Lektüre verspricht Selbstbefreiung aus hemmenden Bindungen des bürgerlichen Lebens; und parallel hierzu vollzieht sich der Prozeß aktiver Rückgewinnung eines verloren geglaubten Mediums ästhetischer Selbstartikulation.

Mit der *Sprache*, die es *zum Anfang* seines *Lebens gelernt hatte*, gewinnt das Ich der Erzählung nicht bloß ein *Werkzeug* zurück, sondern den Kristallisationspunkt einer neuen Identität. Und wenn sie auch nicht *Zugehörigkeit* im herkömmlichen Sinn – *zu dem Lande, in dem ich aufgewachsen*[199] – versprechen kann, so doch eine Art produktiver Ungebundenheit, in der die schmerzhaft erfahrene Vereinzelung aufgehoben sein wird. Sie steht freilich erst am Ende einer einschneidenden Krisenerfahrung, nach dem Scheitern einer Liebesbeziehung, in der sich für den Erzähler seine verfehlte Existenz verdichtet: *Cora war verloren, meine Ehe war mißglückt, aus einer Anpassung war nichts geworden.* Eine fluchtartige Reise nach Paris, in die verheißungsvolle Stadt Henry Millers und der

Franz Kafka zur Zeit der Niederschrift des «Prozeß»

Surrealisten, verschärft zunächst die Krise – *anstatt von diesem neuen Leben für mich zu gewinnen, verlor ich von Stunde zu Stunde mehr von mir selbst, bis mir mein eigener Name ungewiß wurde, bis ich... nicht mehr wußte, welche Sprache zu mir gehörte.* Aber die vollständige Ich-Verlorenheit ist mystischerweise zugleich *der Augenblick der Sprengung, der Augenblick, in dem ich hinausgeschleudert worden war in die absolute Freiheit... der Augenblick, in dem die Welt offen vor mir lag.* Und mehr noch: *...es war eine Freiheit, in der ich jedem Ding einen Namen geben konnte.* Die *Sprache war gegenwärtig, wann immer ich wollte und wo immer ich mich befand. Ich konnte in Paris leben oder in Stockholm, in London oder New York, und ich trug die Sprache bei mir, im leichtesten Gepäck. In diesem Augenblick war der Krieg überwunden, und die Jahre der Flucht waren überlebt... Und wenn es schwer war, an Worte und Bilder heranzukommen, so war es nicht deshalb, weil ich nirgends hingehörte... sondern deshalb, weil manche Worte und Bilder so tief lagen.*[200] Das gesellschaftlich produzierte und existentiell erfahrene Syndrom der *Unzugehörigkeit* wird sublimiert zu einem Problem ästhetischer Kreativität.

An diesem Abend, im Frühjahr 1947, auf dem Seinedamm in Paris, im Alter von dreißig Jahren, sah ich, daß ich teilnehmen konnte an einem Austausch von Gedanken, der ringsum stattfand, an kein Land gebunden. Wiederum steht, wie schon im *Abschied*, die perspektivische Öffnung von Welt und Zukunft am Schluß der Autobiographie. Zweifellos drückt sich in der literarisch gestalteten Epiphanie, im *Schock der Freiheit*[201], in jenem auch von den Tagebüchern verbürgten *euphorischen Augenblick... in der Allée des Sygnes* (korrekt: Cygnes)[202] zugleich die Erfahrung des historischen Augenblicks aus, das Pathos einer vermeintlichen «Stunde Null», und der Ausblick auf den nun möglich gewordenen Anschluß an die internationale Avantgarde (für den Exilanten Weiss immer noch leichter und früher zu realisieren als für seine Generationsgenossen in Deutschland). Aber schon für den Tagebuchschreiber des Jahres 1960 ist es *schwieriger* geworden, *herauszufinden, wie ich dazu kam. Vielleicht war es die plötzliche Einsicht gewesen, daß ich verschont geblieben war, den Krieg überlebt hatte. Was ich mir damals vorstellte, war eine Utopie, ich war auf ein Luftloch gestoßen, Licht fiel ein, nach unendlich langem Wühlen und Graben.*

Wie tragfähig ist ein *Luftloch*? Daß der Schluß des Buches keinen Endpunkt, sondern eben einen *Fluchtpunkt* in den Blick rückt, daß er eine Durchgangssituation, wo nicht gar auch eine Selbsttäuschung bezeichnet, kann man kaum überlesen. Ein unerwarteter Fürsprecher des Werkes, Werner Bergengruen, hat diese Beobachtung 1963, in seiner Begründung für die Verleihung des Charles-Veillon-Preises an Weiss, festgehalten: «...mit dem Gewinn dieser Freiheit endet dieses Buch als mit der letzten endgültig erscheinenden Positionsmeldung, der allerdings – auf des Autors Gesamtœuvre gesehen – noch manche folgen wollen.»[203]

Fluchtpunkt einer Künstlerexistenz: «im Frühjahr 1947, auf dem Seinedamm in Paris» (Allée des Cygnes)

Daß die *Utopie* einer poetischen Internationalität im weiteren Entwicklungsgang des Autors bald problematisch wird und sich schließlich – in der *Ästhetik des Widerstands*, als großangelegter erzählerischer Kontrafaktur zum *Fluchtpunkt* – zur Utopie des proletarischen Internationalismus wandelt, mag als textexternes Argument zurückstehen. Aber für den *Fluchtpunkt* selbst bleibt festzuhalten, daß die befreiende Sprengung und das Auffinden neuer *Dimensionen*[204] wesentlich als Resultat affektiver und erotischer Befreiung (verstärkt durch Lektüreerfahrungen) und als definitive Lösung der individuellen Sprachproblematik dargestellt ist. Anders gesagt: Die Problematik der versäumten Parteinahme und des schuldhaft-zufälligen Überlebens, die sich an den Namen Peter Kien und Lucie Weisberger festmachte, wird nicht aufgelöst, sondern von den neuen ästhetisch-affektiven Erlebnissen nur überdeckt. Und der Titel selbst, der *Fluchtpunkt*, der als Metapher aus der Perspektivlehre übernommen wird (und übrigens auch eine romantheoretische Tradition hat[205]), bleibt mehrdeutig. Er bezeichnet ja den – imaginären, niemals faßbaren – Punkt, auf den Parallelen bzw. die «Fluchtlinien» einer Zeichnung (oder auch die Entwicklungslinien einer individuellen Biographie) zulaufen. Insofern ist er – eine ästhetische Konstruktion. «Fluchtpunkt» hieß aber auch eine Markierung, die besonders fluchtverdächtige Häftlinge in Auschwitz tragen mußten[206]: insofern verweist der Titel auf eine im Werk wie im Bewußtsein des Autors noch nicht aufgearbeitete Problematik.

Weltruhm und Weltanschauungsstreit. Die Theaterstücke 1962–1971

In einem Jahrzehnt, seit 1962, hat Weiss sechs größere Stücke verfaßt und zur Aufführung gebracht, die ihn – als Prosaautor eben erst im Literaturbetrieb der Bundesrepublik etabliert – zum meistdiskutierten deutschsprachigen Dramatiker seiner Zeit machen, die Tür zum Weltruhm aufstoßen und heftige ästhetische wie politische Kontroversen provozieren. Man kann diese Stücke als dramatische Versuchsreihe ansehen, die die Möglichkeiten politischen Theaters nach Brecht erprobt: inhaltlich in der wiederholten Thematisierung von Verläufen und Widersprüchen revolutionärer Prozesse, formal in der experimentellen Verwendung vielfältiger theatralischer Mittel und neuartiger Schreibweisen. Freilich entspringt diese Versuchsreihe weniger als bei Brecht literaturstrategischer Überlegung, vielmehr, wie Weiss' gesamte Produktion, persönlicher Betroffenheit. So ist nicht verwunderlich, daß die literarische Arbeit eng mit einem Prozeß der politischen Selbstfindung verwoben ist, dessen Phasen und Resultate sich auch in programmatischen Erklärungen und politischen Aktionen niederschlagen.

Als am 29. April 1964 im Berliner Schiller-Theater die Premiere eines Stücks mit dem befremdlichen Titel *Die Verfolgung und Ermordung Jean Paul Marats dargestellt durch die Schauspielgruppe des Hospizes zu Charenton unter Anleitung des Herrn de Sade* unter vehementen Beifallsstürmen und vereinzelten Buhrufen endete, erschien dies vielen als ein historischer Theaterabend. Von einem «Geniestreich», mit dem das «Interregnum der Mittelmäßigkeit» beendet werden könnte, sprach der konservative Kritiker Friedrich Luft. «Da ist das deutsche Drama!» jubelte Henning Rischbieter, und in der liberalen «Süddeutschen Zeitung» wagte Karena Niehoff eine kühne Prognose: «Es ist tatsächlich seit Brechts Tod das erste bedeutendere Bühnenstück eines Deutschen; das erste, das vielleicht aus bundesdeutscher Enge in die Welt ausbrechen könnte...»[207] Sieht man davon ab, daß der *unzugehörige* Weiss auch damals nicht so umstandslos für Deutschland oder gar für seine westliche Hälfte reklamiert werden konnte, so wurde diese Vermutung glanzvoll bestätigt durch eine Fülle von – durchaus unterschiedlich akzentuierten – Insze-

«Marat/Sade», Uraufführung April 1964 im Schiller-Theater in West-Berlin. Regie: Konrad Swinarski, Bühne: Peter Weiss und Gunilla Palmstierna-Weiss

nierungen. Fast hundert hat man zwischen 1964 und 1976, von West-Berlin bis Rostock und Stockholm, von London bis Buenos Aires, Tokio und Sydney, von Castrop-Rauxel bis Kingston/Jamaika registriert.[208] Die weltweite Resonanz deutet darauf hin, daß dieses Stück nicht nur theatralisch faszinierte, sondern mit seiner Fragestellung auch einen Nervenpunkt gesellschaftlicher Zustände und politischer Diskussionen in der Mitte der sechziger Jahre getroffen haben muß.

Als «Geniestreich» kann man das *Marat/Sade*-Stück, wie es bald kürzelhaft hieß, auch deshalb bezeichnen, weil sein Autor es einer bewegten, von vielfältigen Aktivitäten geprägten Lebensphase abgerungen hatte. Erste Hinweise, historische Literatur und ein *Gespräch über MARAT* betreffend, finden sich Anfang 1962 in den *Notizbüchern*[209]; die *Niederschrift der 1. Fassung erfolgte dann zwischen Februar und April 1963*[210]; für verschiedene Inszenierungen erarbeitete Weiss bis 1965 noch vier weitere Fassungen. Anfang 1962 hatte er, unter dem Eindruck mangelnder Anerkennung in Schweden, eine *Wohnung in Berlin gemietet*, die er doch nur als *Provisorium* ansehen mochte: *Umsiedlung nicht mehr möglich.*[211] Mit der sich anbahnenden Integration in den deutschen Kulturbetrieb mehrten sich freilich auch die Belastungen: Am 16. November 1963 wurde in der Werkstatt des Schiller-Theaters die vom Kasperle-Spiel inspirierte dramatische *Moritat* unter dem Titel *Nacht mit Gästen*[212] uraufgeführt, die Weiss Anfang des Jahres geschrieben hatte; gleichzeitig waren in einer Galerie-Ausstellung seine Collagen zu sehen. In Ost-Berlin registrierte der Besucher die *bedrückende Kulturpolitik*, in West-Berlin fühlte er sich beim *Literarischen Colloquium*, einer *Vorschule der Gruppe 47*, eher *überflüssig*. Auf der Gruppentagung selbst, kurz vorher in Saulgau, hatte seine Lesung schon einen Vorgeschmack des kommenden Theaterereignisses gegeben; eine vom Suhrkamp Verlag für seinen neuen Autor organisierte Lesereihe – dazwischen *immer wieder Arbeit am Marat* – bricht er schließlich ab und kehrt *erschöpft nach Stockholm zurück. Jetzt in der neuen Wohnung. Schreibe Marat noch einmal.* Im Dezember 1963 heiraten Gunilla Palmstierna und Peter Weiss – *nach 12 Jahren Zusammenleben*, wie eine Tagebuchnotiz ausdrücklich festhält. Im neuen Jahr laufen die Proben zur *Marat/Sade*-Inszenierung in Berlin an, daneben *Verhandlungen, Planungen für den Aufbau der Filmakademie* in Berlin – *man hat mir angeboten, die künstlerische Leitung zu übernehmen*, bald darauf: *Absage an den Senat*; noch vor der Berliner Premiere wird mit Peter Brook eine Inszenierung in London geplant; im März 1964 nimmt Weiss als Besucher am Auschwitz-Prozeß teil, der in Frankfurt am Main begonnen hat; in den *Notizbüchern* zeichnet sich schon das nächste dramatische Projekt ab; Stichworte: *Endlösung* und *Hierzu eine ganz neue Theaterform ...*[213]

Vor diesem Hintergrund also gewinnt das *Marat/Sade*-Stück seine Gestalt. In einem Interview hat Weiss auf *die Anregung* seines *14jährigen Sohnes* (d.i. Gunilla Palmstierna-Weiss' Sohn Mikael) verwiesen, *der einen Film über die Französische Revolution gesehen hatte. Daraufhin vertieften wir uns zusammen in Bücher ... und stießen immer wieder auf Marat.*[214] Von der historischen Figur dieses radikalen Repräsentanten der revolutionären Bewegung ging – trotz oder wegen ihrer Widersprüchlichkeit – der stoffliche Anreiz zur Arbeit aus; später wird man Marat als ersten in einer Reihe von «revolutionären Märtyrern»[215] erkennen, die Weiss auf die Bühne bringt. *Dieser Sündenbock, auf den alle Schandtaten der Revolution abgeladen wurden, war der einzige Revolutionär.* Trotz dieser Faszination: Die *dramatische Struktur* – ein *Spiel von These und Antithese* – entsteht erst durch die fiktive Konfrontation Marats mit seinem Zeitgenossen de Sade – und durch die raum-zeitliche Verschachtelung des Geschehens, die der Stücktitel ebenfalls andeutet. Denn auf der Bühne wird ja nicht die tatsächliche Ermordung Marats im Jahre 1793 vorgestellt, sondern bereits eine spielerische Reprise, kurz gesagt: *Theater im Theater.*[216]

Dabei ist die «historische Fabel des Stücks im Stück, der ‹Verfolgung und Ermordung Jean Paul Marats›, von wahrhaft lapidarer Kürze: die Girondistin Charlotte Corday ist von Caen gekommen, um Marat zu ermorden; sie spricht dreimal an seiner Tür vor, wird beim drittenmal auf sein Geheiß eingelassen und ersticht ihn in der Badewanne. Die ebenso elementare ‹Rahmenhandlung›, die Aufführung in Charenton unter Sades Regie im Jahre 1808, hat... nur insofern einen Anhalt in der historischen Wirklichkeit, als man Sade tatsächlich während seiner Einsperrung im Irrenhaus von Saint-Maurice einige Jahre erlaubte, seiner Theaterleidenschaft zu frönen, und daß zu diesen Aufführungen einer Truppe von Irren oder angeblich Irren nicht nur die übrigen Anstaltsinsassen, sondern auch Neugierige aus der guten Pariser Gesellschaft Zutritt hatten... Das Sujet des Stückes wäre in diesem Sinne der Zustand der Revolution zur Zeit der Ermordung Marats – gespiegelt im Zustand der napoleonischen Restauration des Jahres 1808 – und dieser wiederum gespiegelt – im Zeitpunkt der Niederschrift des Stückes.»[217]

Während also die Rahmensituation (Charenton 1808) die Einheiten des Ortes und der Zeit wahrt, fängt das Spiel im Spiel, ausgehend von der Kernszene der Ermordung, im Wechsel von filmähnlichen Vor- und Rückblenden den historischen Ablauf ein. Weiss benutzt – zum erstenmal auf der Bühne – das Verfahren der dokumentarischen Collage[218], indem er authentische Figuren und Zitate (hier vor allem *die meisten Aussprüche Marats*[219]) in imaginäre Situationen und Konstellationen stellt, die den Kontrast weltanschaulicher Positionen und letztlich die Dialektik des historischen Prozesses (unter Einschluß der Publikumsgegenwart) anschaulich machen. So werden die Ziele der Revolution, formuliert von ihrem konsequentesten Theoretiker, gebrochen in der Realität einer restaurativen Gesellschaft, die sich nur noch verbal auf jene beruft; der Repräsentant dieser Epoche, der Anstaltsdirektor Coulmier, der als Zensor und «Zuschauer» mit seiner Familie auf der Bühne steht, zeichnet damit einen Rezeptionshorizont vor, der mühelos in eine restaurativ geprägte Gegenwart zu verlängern ist.

Quer zu diesem historischen Verlauf steht die Figurenantithetik. Weiss hat sie in seinen *Anmerkungen zum historischen Hintergrund unseres Stükkes* definiert als *Konflikt zwischen dem bis zum äußersten geführten Individualismus* de Sades, der ja weniger als Repräsentant des «ancien régime» denn als desillusionierter Parteigänger der Revolution zu sehen ist, und dem von Marat trotz aller Rückschläge und Mißbräuche aufrechterhaltenen *Gedanken an eine politische und soziale Umwälzung.*[220] Sentenzartig zugespitzt wird dieser Konflikt in einem Wortwechsel der 18. Szene:

SADE
Ich pfeife auf alle guten Absichten
die sich nur in Sackgassen verlieren
ich pfeife auf alle Opfer
die für irgendeine Sache gebracht werden
Ich glaube nur an mich selbst

MARAT (sich heftig zu Sade wendend)
Ich glaube nur an die Sache
die du verrätst
Wir haben ein Gesindel gestürzt das fett über uns thronte
viele haben wir unschädlich gemacht
viele sind entkommen
doch viele von denen die mit uns begannen
liebäugeln wieder mit dem alten Glanz
und es zeigt sich
daß es in der Revolution
um die Interessen von Händlern und Krämern ging
Die Bourgeoisie
eine neue siegreiche Klasse
und darunter der Vierte Stand
wie immer zu kurz gekommen[221]

Die Frage nach dem «Gleichgewicht» dieser beiden Kontrahenten bzw. nach dem Ausgang ihrer «Weltanschauungsdialoge»[222] ist für die Deutung des Stücks entscheidend. Mehrfach wurde eine prinzipielle Überlegenheit de Sades mit dem Argument behauptet, er sei nicht nur der einzige, der im Binnenspiel s i c h s e l b s t spiele, sondern als Verfasser und Spielleiter der Aufführung im Badehaus der Anstalt auch derjenige, der den Mitwirkenden ihre Rollen zuschreibe, so etwa einem chronisch Hautkranken diejenige des Revolutionärs und Mordopfers Marat.

Damit könnte er in die Nähe des realen Autors rücken; tatsächlich sah Weiss den Marquis zunächst als *Vertreter des dritten Standpunkts... zwischen dem sozialistischen und dem individualistischen Lager*[223], in einer Position also, die er noch im November 1964 auch für sich selbst reklamierte: *Es wäre viel besser, wenn ich von mir sagen könnte: «Ich bin überzeugter Kommunist» oder «ich bin extremer Sozialist»... Ich stehe aber nur in der Mitte. Ich vertrete den dritten Standpunkt, der mir selber nicht gefällt. Vielleicht kann ich, wenn ich weiter schreibe, langsam eine Konzeption herausarbeiten.*[224] Eine Dominanz de Sades läßt sich auch an den stilprägenden Aufführungen westlicher Bühnen ablesen – also an Konrad Swinarskis Uraufführung in Berlin, an der Londoner Vorstellung der Royal Shakespeare Company unter Peter Brook (beide in der Bühnenausstattung von Gunilla Palmstierna-Weiss) und an Hansgünter Heymes Wiesbadener Inszenierung. Er akzentuierte wie Brook besonders die Motivkomplexe von *Tortur* und Irrsinn, wodurch die rationalistisch begründete Position Marats zusätzlich untergraben wurde. Vor allem die Inszenierung Brooks, in der sich «der Irrsinn als die beherrschende und sinnlichste Form des Theaters präsentiert», stellt sich bewußt in die Tradition eines «Theaters der Grausamkeit», wie es von dem Franzosen Antonin Artaud programmatisch gefordert worden war. Die einflußreiche amerikanische Kritikerin Susan Sontag hat sie als «eines der ganz großen Theatererlebnisse» gefeiert, «die einem im Leben geboten werden» – und damit zugleich den internationalen Ruhm des Theaterautors Weiss befestigt. Auf Grund eines Mißverständnisses? So wird man fragen dürfen, wenn sie nach der Inszenierung Brooks vom *Marat/Sade*-Stück schlechthin behauptet, daß es «in stärkerem Maße als jedes andere moderne Bühnenwerk ... der Thematik ... des Artaudschen Theaters entspricht»[225].

Dem kann man entgegenhalten, daß die Akzente der Inszenierung auch völlig anders gesetzt werden können – und daß dies Stück eben deshalb ein «Geniestreich» genannt werden darf, weil die dialektische Offenheit und Ausbalanciertheit seiner Konstruktion so unterschiedliche Deutungen möglich macht. Als Probe darauf ist vor allem die Aufführung am Volkstheater Rostock im Jahre 1965 anzusehen; in Zusammenarbeit mit dem Autor hatte Regisseur Hanns Anselm Perten ein Konzept entwikkelt, das Marats Position stärker zur Geltung brachte, indem es den Spielort der Anstalt weniger als Metapher einer «irren Welt» denn als Ort konkreter gesellschaftlicher Repression ausgestaltete. Zudem wurden plebejische Nebenfiguren, so der frühkommunistische Priester Roux und die vier Sänger – sie *repräsentieren den vierten Stand*[226] – stark aufgewertet und gleichsam zur Verstärkung Marats herangeführt; sie stehen in Rostock bezeichnenderweise «links von Marat – nicht im Hintergrund»[227] wie zuvor. Peter Weiss hat solche Akzentverschiebungen, wie die Rostocker Inszenierung überhaupt, zustimmend kommentiert und als Verdeutlichung seiner Intention begriffen; entsprechende Textänderungen gingen in die *revidierte Fassung 1965* ein.[228]

Ein zweiter zentraler Diskussionspunkt war seit der Premiere das Verhältnis zwischen der intellektuellen Antithetik und den eingesetzten theatralischen Mitteln. Nicht zuletzt – oder vor allem sogar auf diese Mittel gründeten manche Kritiker ihr Lob. «Der Spiegel» bilanzierte zunächst den szenischen Aufwand: «Auf der Bühne wurde geliebt, gebetet, gesegnet, gesungen, getanzt, gebadet, geduscht, gestritten, gefoltert, gepeitscht, gemordet, geköpft, Akrobaten traten auf, Pantomimen, ein Jongleur, Krankenpfleger, Nonnen, eine Musikkapelle saß auf der Bühne und wich nicht.»[229] Und Friedrich Luft zollte dem «phantastischen Theaterabend» überschwengliches Lob: «... es geht totales, sinnenhaftes, anschauliches, direktes Theater vor; und zugleich wird in dieser vollen Sphäre des unverblümt und herrlich Theatralischen ein gedanklich diffiziler Vorgang ganz klar und unvermindert evident. Das grenzt wirklich ans Wunderbare.»[230] Weniger wunderbar sahen einige Skeptiker den Zusammenhang: daß der Aufwand von Personal und Artistik letztlich nur einem «sprachlich ausgedörrten Libretto» zu szenischer Wirkung verhelfe, daß Weiss' Stück «aus der äußeren Aufmachung seines Gegenstandes jene Funken schlug, die ihm aus dem Gegenstand selbst nicht springen wollten»[231], dieser Argwohn wurde von allen Lobesstimmen nicht ganz übertönt. Der Kritiker der «Zeit» spitzte ihn polemisch zu, als er das *Marat/Sade*-Stück «geistig verbrämten Zirkus» nannte.[232]

Einem nichtprofessionellen Theaterbesucher, dem Soziologen Jürgen Habermas, der kurz zuvor eine epochemachende Studie über die Widersprüche im Selbstverständnis bürgerlicher Gesellschaft[233] vorgelegt hatte, blieb es überlassen, in der Replik hierauf den ausufernden Meinungsstreit um die Theatralik auf die intellektuelle Provokation des Stückes zurückzulenken. Er setzt bei der Analyse einer scheinbaren Nebenfigur, des zuschauenden Anstaltsleiters und machthabenden «Ober-Spielleiters» an, der nicht müde wird, die Distanz der Gegenwart zu den *längst überwundenen Mißständen*[234] des Spiels zu beschwören. Genau damit werde er zum Sprecher einer «Gegenwart, die ihre geschichtliche Kontinuität verleugnet» – und eben nicht nur der längst vergangenen Gegenwart von 1808. «Uns wird die bare Einsicht zugemutet, daß die Französische Revolution ein sehr gegenwärtiges Element unserer unbewältigten Vergangenheit ist»: insofern nämlich, als die von ihr proklamierten Ansprüche auf Emanzipation des Individuums und gerechte Ordnung des gesellschaftlichen Ganzen, die im Theater auf die Rollenträger Marat und Sade verteilt werden, nach wie vor unversöhnt und uneingelöst, von einer übermächtigen Restauration blockiert sind. Mit subtileren Mitteln als der napoleonische Zensor befestige auch eine Kritik, die sich über die Theatralik des Stückes ereifert und seine Problematik übergeht, «ein regressiv abgeschirmtes Zeitbewußtsein». Der Direktor Coulmier, sagt Habermas, «ist die Instanz der Verdrängung»[235]. Damit ist ein Stichwort für die politischen und kulturellen Debatten und Konflikte der folgenden Jahre – aber auch für die weitere Arbeit des politischen Dramatikers Peter Weiss gefallen.

Die Verdrängung – das Stichwort steht bei Weiss selbst, unter der Überschrift *INFERNO*[236], im April 1964 zwischen Aufzeichnungen zum Frankfurter Auschwitz-Prozeß, zum Faschismus generell und zu einem neuen, eben diesem Thema gewidmeten Projekt. Der szenische Triumph des *Marat/Sade* findet (wie überhaupt die eigenen Erfolge) in Weiss' *Notizbüchern* nur beiläufig Erwähnung (*Grass in der Pause böse an mir vorbei. Nahm mir das Stück übel*)[237]; immerhin aber markiert dieser Erfolg und die nachfolgende Verleihung des Lessing-Preises der Hansestadt Hamburg eine öffentliche, ja offizielle Anerkennung, die Weiss zunächst als teilweise Reintegration erscheinen mochte und die er in seiner Preisrede *Laokoon oder über die Grenzen der Sprache* 1965 als Anlaß einer lebensgeschichtlichen und künstlerischen Besinnung nutzte.

Im Blick auf die antike Skulptur, die bereits Lessing zum Nachdenken über die Grenzen von Malerei und Poesie herausgefordert hatte, deutet Weiss sich selbst als den durch historisches Schicksal *aus der Sprache Verbannten*, auch *zwischen zwei Sprachen* Verlorenen, der sich für eine gewisse Zeit nur *noch an die Bilder hielt*, der aber – wie Laokoons *älterer*

Mit Anna Seghers und Gunilla in Buchenwald, 1964

Sohn – noch unter tödlicher Bedrohung auszubrechen und *Bericht zu erstatten*[238] sucht. Dies führt ihn zum prekären, aus *Zweifeln und Widersprüchen* hervorgegangenen, stets von der *Gefahr des Verstummens* bedrohten Versuch einer Rückgewinnung *der alten Sprache*; er sieht *die Möglichkeit... daß er mit der Sprache, die ihm zur Arbeit dient und die nirgendwo mehr einen festen Wohnsitz hat, überall in dieser Freiheit zu Hause sei.*

Wenn das Motiv der Sprache als *fester Ort* zurückweist auf den Komplex der *Unzugehörigkeit* und seine ästhetisch-existentielle Aufhebung im *Fluchtpunkt*, so führen das Motiv der Zeugenschaft und des Berichts, der *dürr und trocken*[239] der Qual und dem Verstummen abgerungen werden muß, bereits zu dem Projekt, das schließlich *Die Ermittlung* heißen wird. An anderen Versuchen des Jahres 1965, vor allem am *Gespräch über Dante*, läßt sich ablesen, wie es aus dem umgreifenderen Vorhaben, ein radikal säkularisiertes und historisiertes *Welttheater* nach dem *Modell*[240] von Dantes «Göttlicher Komödie» zu schreiben, herausgewachsen bzw. an seine Stelle getreten ist.

Der Prosatext *Meine Ortschaft* schließlich, nach einem Auschwitz-Besuch im Dezember 1964 zunächst für «Stockholms-Tidningen» verfaßt und in erweiterter deutscher Fassung weit verbreitet, verdeutlicht einige lebensgeschichtliche Voraussetzungen auch des Theaterprojekts. Zum einen aktiviert diese *Ortschaft, für die ich bestimmt war und der ich entkam*[241], den Schuldkomplex, der sich aus dem Bewußtsein zufälligen Überlebens und dem Tod von Jugendfreunden wie Peter Kien und Lucie Weisberger speist (*wie ich 1940 versuchte, Lucie aus Theresienstadt herauszubekommen, mit dem Angebot, sie zu heiraten*[242], präzisiert eine Tagebuchnotiz). Zum andern erweist sich in der Konfrontation mit dem musealen Auschwitz die Schwierigkeit, das Vergangene zu «vergegenwärtigen»: *Ein Lebender ist gekommen, und vor diesem Lebenden verschließt sich, was hier geschah.* Über den materiellen Spuren des Geschehenen liegen *Schweigen* und *Erstarrung*, die jeden Versuch nachfühlender Gestaltung scheitern lassen. Aber die Deskription solcher Unmöglichkeit deutet, zum dritten, *dürr und trocken* die Möglichkeit einer alternativen Darstellung an. Deren politische Notwendigkeit bekräftigt schließlich ein dialektisch verdichteter Schluß. Vom Berichterstatter heißt es: *Jetzt steht er nur in einer untergegangenen Welt. Hier kann er nichts mehr tun. Eine Weile herrscht die äußerste Stille. Dann weiß er, es ist noch nicht zuende.*[243]

Das Nachleben des Faschismus – das für Weiss in aktuellen Formen kolonialistischer Politik ebenso evident war wie in der spezifisch deutschen *Verdrängung* der historischen Erinnerung – begründet die Gegenwartsperspektive, unter der allein die historische Rückwendung sinnvoll, ja zwingend wird: *... denk dran, daß morgen heute gestern ist.*[244]

Für die Zeitschrift «Sinn und Form» hat Weiss 1965, in Kontrast zu seinem *Marat/Sade*-Stück, *die ganz andere dramatische Form* der *Ermittlung* skizziert und begründet: *Da ist ja überhaupt nichts vorhanden von*

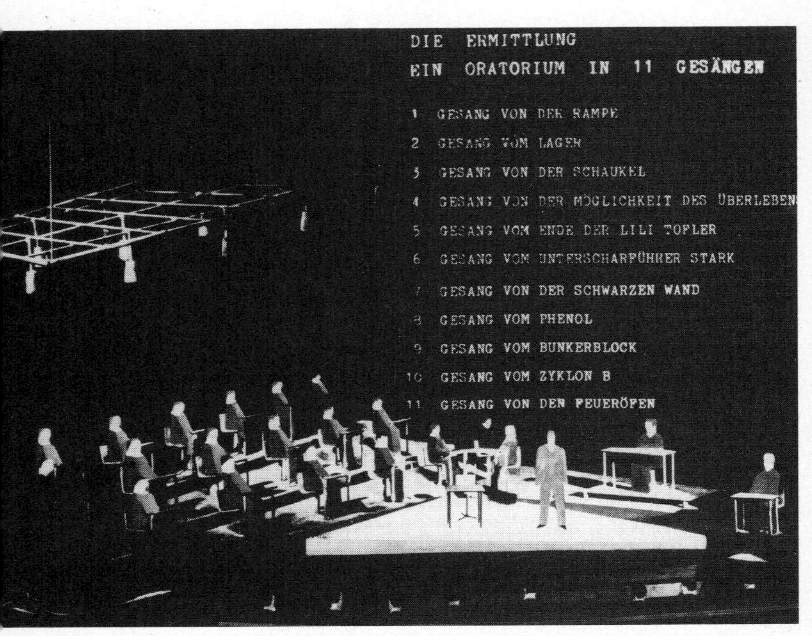

«Die Ermittlung». Bühnenmodell zur Uraufführung an der Freien Volksbühne in Berlin, Oktober 1965. Regie: Erwin Piscator

diesen breiten theatralischen Möglichkeiten, vielfachen Verschiebungen und exzessiven Mitteln. Hier ist die Szenenfassung völlig auf das Wort gestellt und fast statisch; alles liegt nur im Dialog und das Wort muß so stark wirken, daß im Zusammenprall von Worten, von Frage und Antwort, die ganze Dramatik liegen muß ... Seit einem Jahr habe ich sowohl den Auschwitz-Prozeß in Frankfurt besucht als auch so ziemlich alles gelesen, was darüber geschrieben wurde. Ich habe das Lager besucht und studiert und dieses Material gesammelt, es zu ganz bestimmten Komplexen geordnet. Das Lager Auschwitz oder welches Lager auch immer auf der Bühne darzustellen, ist eine Unmöglichkeit. Ja, eine Vermessenheit, es überhaupt nur zu versuchen, man kann diesen Gedankenkomplex überhaupt nur von heute aus im Rückblick beobachten und versuchen, zu analysieren, was da vorgegangen ist. In dem Stück wird ständig nur von unserer Gegenwart aus der Blick geworfen auf diese Vergangenheit und diese Vorgänge. Die Maschinerie des Lagers, diese Todesfabrik wird ganz genau aufgezeichnet wie bei einer Planzeichnung.[245]

Peter Weiss präsentiert *Die Ermittlung* (erwogen hatte er u. a. auch den Titel *Das Lager*) im Untertitel als *Oratorium in 11 Gesängen*[246], das heißt als ein rollenteilig vorgetragenes «dramatisches Gedicht», das auf szenische Mittel weitgehend verzichtet (und deshalb häufig auch als Lesung präsentiert werden sollte). Die elf in sich jeweils dreigeteilten *Gesänge* erinnern (wie schon die 33 Szenen des *Marat/Sade*) an die arithmetische Gliederung der drei Hauptteile von Dantes Weltgedicht. Die inhaltliche Strukturierung folgt weder einem Geschehen im Lager noch dem Verlauf des Prozesses (es fehlt etwa auch ein Urteilsspruch); im Rahmen der Gerichtssituation wird vielmehr aus den Aussagen der Beteiligten, primär der Zeugen (zumeist überlebende Häftlinge) und der Angeklagten (ehemaliges Lagerpersonal der SS), der «typische» Leidensweg zahlloser Opfer deutlich: von der Ankunft und Selektion (*1 Gesang von der Rampe*) bis zur Vernichtung der zuvor Ermordeten (*11 Gesang von den Feueröfen*).

Es handelt sich, wie Weiss betont, nicht um eine *Rekonstruktion*, sondern um ein *Konzentrat*[247] in mehrfacher Hinsicht. Gestrafft und verdichtet wurde zunächst das dokumentarische Material, in erster Linie die detaillierten Prozeßberichte von Bernd Naumann in der «Frankfurter Allgemeinen Zeitung» sowie eigene Prozeßaufzeichnungen[248], wobei die authentischen Aussagen behutsam rhythmisiert und mit sinnverstärkenden Zäsuren versehen werden. Reduziert wurde die Zahl der Sprecher: neun namenlose *Zeugen referieren nur, was hunderte ausdrückten* (und Hunderttausende erlitten); sie verweisen zugleich auf den Identitätsverlust im «SS-Staat», dessen letzte Konsequenz die physische Vernichtung war. Hinge-

Arbeitsgespräch mit Helene Weigel zu «Die Ermittlung» – Szenische Lesung der Akademie der Künste, 1965

gen werden die *18 Angeklagten* (fast ebenso viele wie im Prozeß) bei ihren tatsächlichen Namen genannt, *da sie ja auch während der Zeit, die hier zur Verhandlung steht, ihre Namen trugen, während die Häftlinge ihre Namen verloren hatten. Doch sollen im Drama die Träger dieser Namen nicht noch einmal angeklagt werden*; symbolisieren sie doch nur *ein System, das viele andere schuldig werden ließ, die vor diesem Gericht nie erschienen.*[249]

So wie die Figurengestaltung sucht Weiss den Text insgesamt in Balance zwischen dokumentarisch verbürgerter Authentizität und literarästhetischer Stilisierung zu halten; im Rückblick wird man seine unzweifelhafte Wirkung wohl primär dem Dokumentarismus zuschreiben, der einen Bereich unterschlagener Wirklichkeit aufdeckte, Verschwiegenes unbeirrbar «zur Sprache brachte» und damit, wie zwei Jahre vorher Rolf Hochhuths Theaterstück «Der Stellvertreter», die öffentliche Diskussion geradezu erzwang. Dabei kann Weiss freilich auf den sensationellen Enthüllungsgestus wie auf die kolportagenahe Dramaturgie Hochhuths verzichten. Die behutsam kalkulierten Verfremdungen des real Geschehenen und tatsächlich Gesprochenen dienen in der *Ermittlung* dem «brechtschen» Zweck, Einfühlung zu verhindern: aus der Einsicht heraus, daß nur eine distanzierende Darstellung und Rezeption den Vorgängen in Auschwitz, ihrem Umfang, ihrer Komplexität und schieren «Unfaßbarkeit» annähernd entsprechen (und auch vorschnelle Personalisierungen, das Abladen der Schuld auf historische und/oder fiktive Sündenböcke verhindern) könne. Mit der gewählten Form gesteht Weiss zweifellos die Schwäche aller theatralischen Veranschaulichung vor der Realität des faschistischen Terrors ein. Indem er sie aber eingesteht, formuliert er die übernommene Aufgabe als eine, die nicht nur ihn und die Theatermacher, sondern ebenso das Publikum, die Öffentlichkeit, kurz: die Gesellschaft als ganze angeht.

Stichwort: Verdrängung. Sie wird als eine aus der restaurativen Politik der Nachkriegszeit hervorgewachsene Bewußtseinshaltung – und damit als Berührungspunkt zwischen Bühnengeschehen und Publikumsgegenwart – deutlich gemacht: durch das relative Übergewicht der Angeklagten im Text und durch ihre stereotype Entlastungsrhetorik, wie sie zuletzt noch das provokative «Schlußwort» des Angeklagten 1 (Mulka) prägt:

Wir alle
das möchte ich nochmals betonen
haben nichts als unsere Schuldigkeit getan
selbst wenn es uns oft schwer fiel
und wenn wir daran verzweifeln wollten
Heute
da unsere Nation sich wieder
zu einer führenden Stellung
emporgearbeitet hat

sollten wir uns mit anderen Dingen befassen
als mit Vorwürfen
die längst als verjährt
angesehen werden müßten
(*Laute Zustimmung von seiten der Angeklagten*)[250]

Schon vor der Uraufführung hatte der Kritiker Joachim Kaiser gegen ein «Theater-Auschwitz» mit dem Einwand plädiert, das Publikum habe «keine Freiheit» gegenüber dem «Unmaß des Schreckens auf der Bühne», es müsse «sich ducken unter der Gewalt des Faktischen».[251] Das hält – ganz abgesehen von den Möglichkeiten szenischer Realisierung – einer genauen Analyse des Textes nicht stand: Mit Recht hat Heinz Geiger geltend gemacht, daß eben durch die spezifische Struktur der *Ermittlung* «die Frage nach der allgemeinen Mitschuld an den ermittelten Verbrechen» aufgeworfen und ein «Bewußtseins-Prozeß bei den Zuschauern» provoziert werde.[252]

Die öffentliche Aufnahme der *Ermittlung* bestätigt dies: Am 19. Oktober 1965 wurde sie in einer «gemeinsamen Uraufführung» auf fünfzehn Bühnen gezeigt; besondere Aufmerksamkeit fand die Inszenierung, die Erwin Piscator, ein Veteran des politischen Theaters, mit Weiss für die Freie Volksbühne in West-Berlin erarbeitete, sowie eine szenische Lesung in der Akademie der Künste in Ost-Berlin, an der prominente Politiker und Künstler wie Anna Seghers, Helene Weigel, Ernst Busch, Alexander Abusch mitwirkten. Dabei war die internationale Resonanz wesentlich geringer als bei *Marat/Sade*; lediglich Peter Brook beteiligte sich mit der Royal Shakespeare Company in London an der Simultanauf führung. Noch im Oktober sendeten die Rundfunkanstalten der Bundesrepublik wie der DDR Funkfassungen; in den Jahren 1965 bis 1967 nahmen zahlreiche deutsche Bühnen, aber auch Theater in Stockholm (Regie: Ingmar Bergman, Ausstattung: Gunilla Palmstierna-Weiss) und Amsterdam, in New York und Moskau, Prag und Warschau das *Oratorium* in ihre Spielpläne auf.

Die kritische Resonanz in der Bundesrepublik war, wie nicht anders zu erwarten, lebhaft und kontrovers. Joachim Kaiser will seine rhetorische Frage «Kann sich die Bühne eine Auschwitz-Dokumentation leisten?» mit zwei Argumenten verneint wissen: *Die Ermittlung* verlasse durch ihren Dokumentarismus die Sphäre der «Kunstwahrheit» (und enttäusche die Erwartung eines Publikums, das vielleicht lieber «Das weiße Rößl» sehen möchte!); sie könne möglicherweise als der «typisch deutsche Versuch» angesehen werden, «auf dem Theater Ersatzentscheidungen herbeizuführen, während man sich um reale Sinnesänderungen herumdrückt»[253]. Dem ersten Argument mag zustimmen, wer das Theater auf seine Unterhaltungsfunktion beschränken will; dem zweiten, wer bereit ist, mit Weiss' *Ermittlung* auch den überwiegenden Teil deutschsprachiger

Ingmar Bergman inszeniert «Die Ermittlung» am Dramaten Stockholm, Bühnenbild: Gunilla Palmstierna-Weiss, 1965

Nachkriegsliteratur zu verwerfen –: denn was haben ihre Autoren, von Heinrich Böll bis Christa Wolf, anderes betrieben als Erinnerungs- und Trauerarbeit – stellvertretend für eine Gesellschaft, die solche Arbeit in ihrer großen Mehrheit und in ihren repräsentativen Institutionen abgelehnt hat?

Herbert Jhering, der Kritiker, der fast ein halbes Jahrhundert zuvor den Dramatiker Brecht entdeckt hatte, formuliert denn auch korrigierend, Peter Weiss habe – unabhängig von der Bewertung des Textes und der Aufführungen im einzelnen – «das Theater vor eine seiner größten Aufgaben gestellt»[254]; und Martin Esslin, selbst Emigrant und ein international renommierter Theoretiker des modernen Theaters, wendet Kaisers Frage geradezu in ihr Gegenteil: Wie könne das Theater als moralische Anstalt weiter bestehen, wenn es die «Lebensfrage der Nation» vermeide, «das Erlebnis der Generation 1933 bis 1945 [zu] verarbeiten»[255]?

Ein anderer Streitpunkt zielt ins gesellschaftstheoretische Zentrum des Stücks und damit auf das politische Selbstverständnis des Autors. Es geht um die Ansätze zur Erklärung der Todesmaschinerie Auschwitz und des faschistischen Herrschaftssystems überhaupt, die man dem Text entnehmen kann.

Schon bei der ersten Beschreibung des Lagers wird auf die *umliegenden*

Industrien verwiesen: *Es waren Niederlassungen/der IG Farben/der Krupp- und Siemenswerke*[256]; später werden der Arbeitseinsatz von Häftlingen dort oder auch im Lager vorgenommene *Untersuchungen* (also Menschenversuche) *im Auftrag der pharmazeutischen Industrie*[257] erwähnt; der Ankläger konstatiert unter Protest des Verteidigers, *daß die Nachfolger dieser Konzerne heute/ zu glanzvollen Abschlüssen kommen/ und daß sie sich wie es heißt/ in einer neuen Expansionsphase befinden*[258].

Damit aber stellte der Text einen Gegenwartsbezug her, der die moralische Dimension von Mitschuld und «Kollektivscham» sprengte, indem er die Fortexistenz der für den Faschismus ursächlichen ökonomischen Strukturen – speziell in der Bundesrepublik – behauptete. So genau wollten es auch manche nicht wissen, die sich für *Die Ermittlung* engagiert hatten; in Essen etwa ließ Intendant Schumacher die Erwähnung der heimischen *Kruppwerke* aus dem Textbuch der Städtischen Bühnen streichen.[259] Vor allem aber richteten Blätter der Springer-Presse, industrienahe Organe und solche der radikalen Rechten eine publizistische Breitseite gegen Weiss, dem es weniger um Vergangenheitsbewältigung als um «Gehirnwäsche auf der Bühne» gehe, der «synchron mit der permanenten Propagandakampagne des Ostblocks die Bundesrepublik anzugreifen» suche.[260]

Der Vorwurf konnte sich immerhin auf programmatische Äußerungen des Autors stützen, der der Zeitung «Stockholms-Tidningen» zu seinem Stück erklärt hatte: *Ein Großteil davon behandelt die Rolle der deutschen Großindustrie bei der Judenausrottung. Ich will den Kapitalismus brandmarken, der sich sogar für Geschäfte mit Gaskammern hergibt.*[261]

Nun steht eine (begrenzte) Zusammenarbeit zwischen Industriekonzernen und der SS für die historische Forschung längst außer allem Zweifel.[262] Zum Skandalon wurde der Hinweis darauf durch die Publizität, die ihm die Bühne und die anschließende Diskussion verschaffte, vor allem aber durch seine Übereinstimmung mit einer grundsätzlichen, seit etwa 1936 im Machtbereich der Sowjet-Union verbindlichen Theorie, die den Faschismus als «die offene, terroristische Diktatur der reaktionärsten, chauvinistischen, am meisten imperialistischen Elemente des Finanzkapitals»[263] definiert (sog. Dimitroff-Formel). So unzureichend diese monokausale Theorie insgesamt ist, so unbefriedigend muß es auch bleiben, «die Verbrechen von Auschwitz» eindimensional als «Produkt der kapitalistischen, der ‹Ausbeuter›-Gesellschaft zu erklären. In gewissem Sinn wirken die entsprechenden Stellen im Text tatsächlich «aufgeflickt», wie Wolfgang Hädecke notierte.[264] Sie vermögen, anders gesagt, Auschwitz allenfalls partiell zu «erklären», zumal sie im Stück selber in Konkurrenz mit anderen Erklärungsansätzen stehen.

Viele von denen die dazu bestimmt wurden
Häftlinge darzustellen

waren aufgewachsen unter den selben Begriffen
wie diejenigen
die in die Rolle der Bewacher gerieten
...und wären sie nicht zu Häftlingen ernannt worden
hätten auch sie einen Bewacher abgeben können[265]

Die Äußerung des *Zeugen 3*, den man den «theoretischen Kopf» dieser Personengruppe nennen könnte, bestimmt Faschismus als spezifische Ausformung eines sadomasochistischen Gewaltzusammenhangs zwischen *Starken* und *Schwachen, Verfolgern* und *Flüchtlingen*, Tätern und Opfern (bei prinzipieller Austauschbarkeit von Individuen und Rollen), wie ihn Weiss ganz ähnlich und scheinbar unpolitisch schon in *Abschied von den Eltern* als prägende lebensgeschichtliche Erfahrung beschworen hatte. In dieser Perspektive wird der deutsche Faschismus allerdings enthistorisiert und zu einem tendenziell univeralen Weltmodell umgeformt. Es ist wohl zutreffend, daß Weiss sein Modell «Auschwitz nach zweierlei Muster» strukturiert habe: einerseits faschismustheoretisch und kapitalismuskritisch, andererseits lebensgeschichtlich und quasi-anthropologisch – und daß diese beiden Muster nicht miteinander vermittelt sind.[266] Hinzuzufügen wäre auch, daß die Schlüsselfragen neuerer Faschismus-Forschung nach der kleinbürgerlichen «Massenbasis» der Nazis und nach dem «alltäglichen Faschismus» nicht berührt werden; auch die Bedeutung einer Erziehung zum «autoritären Charakter», die in den *Notizbüchern* 1963/64 noch vermerkt wird – *Konzentrationslager die Konsequenz der Erziehungsgesellschaft*[267] – spielt im Stück keine Rolle mehr.

Trotz solcher Einwände[268] und manch offener Fragen: *Die Ermittlung* markiert in der Geschichte der Nachkriegsliteratur, mehr noch des politischen Bewußtseins in der Bundesrepublik, eine einschneidende Zäsur. Der literarischen, publizistischen, pädagogischen und wissenschaftlichen Auseinandersetzung mit dem Nationalsozialismus, die in den nachfolgenden Jahren, durch die kritischen Fragen der Studentenbewegung verstärkt, zu beobachten war, gab sie einen ebenso nachhaltigen wie spektakulären Impuls. Daß eine solche Wirkung den Intentionen des Autors entsprach, steht außer Zweifel: Er verstand *Die Ermittlung* ausdrücklich als seinen *Beitrag zur deutschen Vergangenheits-Bewältigung* und sah zugleich sehr genau die Grenzen dieses Beitrages: *... das konnte doch bloß ein Anstoß, ein Anfang sein. Müßte zu einer «Massenbewegung» werden. Verlangt nach jahrelanger Aufarbeitung. Dieses Stück stellvertretend für etwas, das noch brachliegt – kann ein Volk sich von einem Trauma, einer Psychose befreien?*[269]

Wer das Theater des Peter Weiss aus politischen Motiven ablehnte, konnte sich indessen durch verschiedene Äußerungen des Autors bestärkt fühlen. In den *10 Arbeitspunkten eines Autors in der geteilten Welt*, die im September 1965 in «Dagens Nyheter» und im «Neuen Deutschland» gedruckt wurden, geht Weiss von der Situation des *deutschsprachigen Autors* an der Grenzlinie der globalen *Machtblöcke* aus, wo die *sozialistischen Kräfte, sowie die Freiheitsbewegungen in den ehemals kolonialisierten oder noch unter Gewaltherrschaft stehenden Ländern* der vom *Kapitalismus bedingten Ordnung*[270] gegenüberstehen. Unter dem Eindruck konträrer Bedingungen für die künstlerische Aktivität – *So wie im westlichen Staat vor allem eine politische Zurückhaltung vom Autor erwartet wird, so wird im östlichen Staat vor allem die eindeutige politische Haltung gefordert* – fällt er eine grundsätzliche Entscheidung, mit der er den früher bezogenen *dritten Standpunkt* definitiv zu räumen scheint: *Die Richtlinien des Sozialismus enthalten für mich die gültige Wahrheit.*[271]

Dies Bekenntnis, und eine gelegentliche Äußerung, die den kritischen Schriftsteller in der westlichen Gesellschaft als *Partisanen* der *Wahrheit*[272] charakterisierte, ließen Weiss vor allem in der Bundesrepublik zum Ziel erregter Presseangriffe werden. Man konnte – oder wollte – nicht sehen, was in der DDR durchaus registriert wurde: daß der bekennerische Gestus jenes Satzes keineswegs eine Unterwerfungsgeste war – oder auch nur die bedingungslose Identifikation mit dem *etablierten* sozialistischen System bedeutete. Schon im nächsten Satz erwähnt Weiss frühere und gegenwärtige *Fehler im Namen des Sozialismus*, die der *Kritik unterworfen werden* müßten, denn: *Die Selbstkritik, die dialektische Auseinandersetzung, die ständige Offenheit zur Veränderung und Weiterentwicklung sind Bestandteile des Sozialismus*. In solchen Äußerungen, durchaus in der Tradition eines kritischen Marxismus, sind die kommenden Kontroversen mit den Sprechern des in Deutschland real existierenden Sozialismus schon vorgezeichnet. Zu *einer Revolution der Gesellschaftsordnung gehört* für Weiss unverzichtbar *auch eine revolutionäre Kunst*; es sei *ein Widerspruch, wenn in einigen Ländern des Sozialismus die Kunst auf Grund ihrer innewohnenden Kraft niedergehalten und zur Farblosigkeit verurteilt wird.*[273] Der Fall des in der DDR mundtot gemachten Dichters und Sängers Wolf Biermann nötigte Weiss noch im gleichen Jahr 1965 zur Konkretisierung seiner Kritik; seine Stellungnahmen wurden nun im «Neuen Deutschland» ebensowenig gedruckt wie frühere Äußerungen in Springers «Welt».[274] Ein *dritter Standpunkt* – zwischen den Stühlen?

Festzuhalten bleibt jedenfalls, daß Weiss, entgegen den polemischen Klischees seiner westlichen Gegner, aber auch abweichend von seiner Selbstdefinition nach wie vor «die beiden Welten von einem dritten Standpunkt aus» beurteilt, «nämlich dem des kritischen Intellektuellen»[275]. Insofern sind Äußerungen aus der DDR, wo man Weiss zwar als Sympathisanten, nicht aber als eigentlich *Zugehörigen* begrüßt und sein Schaffen als einen «Grenzfall des Nonkonformismus»[276] eingeordnet hatte, durchaus bedenkenswert. Diese differenzierte Haltung Weiss' mag durch seine entschiedene Parteinahme für die *Freiheitsbewegungen*[277] in Afrika, Asien, Süd- und Mittelamerika verdeckt werden, die dann auch seine nächsten Theaterstücke und eine ausgedehnte politisch-publizistische Tätigkeit bestimmt. Die von diesen Bewegungen Vertretenen, die *Unterdrückten und Ausgebeuteten*[278] – nicht der Staatssozialismus – sind das wahre Identifikationsobjekt des Autors, der sich schon als Kind *den Schwachen* zugehörig fühlte (so kann er sie auch ausdrücklich mit den *Wehrlosen in den faschistischen Konzentrationslagern*[279] vergleichen). Für den «politischen» Peter Weiss, wie er sich um 1965 – für viele überraschend – präsentiert, ist also weniger der von ihm selbst beschworene *Sozialismus* schlechthin, als vielmehr ein *revolutionärer Internationalismus*[280] die *gültige Wahrheit*. (Zumindest strukturell ist er jener poetischen Internationalität vergleichbar, die der Erzähler im *Fluchtpunkt* als Handlungsperspektive[281] beschwor.) Sein politisches Selbstverständnis ist insofern nicht, wie häufig behauptet wurde, Resultat einer Konversion oder gar dezisionistische Willkür[282], sondern viel eher eine Neudefinition der eigenen Identität und Handlungsmöglichkeiten, die frühen biographischen Grundlinien und Erfahrungen folgt, sie nun aber, zunehmend seit *Marat/Sade* und *Ermittlung*, explizit politisch interpretiert und damit auch in ihrem Geltungsanspruch verallgemeinert.

Zeigen läßt sich dies etwa an einer Kontroverse, die die fortschreitende Differenzierung politischer Standpunkte auch innerhalb der Gruppe 47 erwies, die einst pauschal für das Programm eines kritischen Nonkonformismus stand. Hans Magnus Enzensberger, dem Weiss sich freundschaftlich verbunden fühlte[283], hatte im «Kursbuch» auf die Problematik fortdauernder Kolonialisierung hingewiesen und zugleich die Kategorien Kapitalismus und Sozialismus (den West-Ost-Gegensatz) als unbrauchbar für eine Analyse bezeichnet, vielmehr den Gegensatz einer «reichen» und einer «armen» Welt (aktuell gesprochen: den Nord-Süd-Konflikt) herausgearbeitet.[284] Im Anschluß an diese weitsichtige Analyse polemisiert er gegen die «von Peter Weiss und anderen» geforderte *Solidarität mit den Unterdrückten und Ausgebeuteten*, in der er bloß einen «Federschmuck für Intellektuelle»[285] sieht. So gewiß er damit die subjektive Ernsthaftigkeit von Weiss' Engagement verfehlt, so fraglich bleibt, ob er eine objektive Schwäche trifft. Immerhin hatte Weiss die Grenzen intellektueller Solidarität selbst reflektiert und sich – durchaus plausibel – auf die Herstellung einer kritischen Gegenöffentlichkeit konzentriert: ... *wir werden als Autoren nach allen Mitteln suchen, um sie in ihrem Kampf (der auch der unsere ist) zu unterstützen.*[286]

Richtig bleibt indessen, was schon an der *Ermittlung* gezeigt wurde: Es gibt im politischen Engagement von Peter Weiss zwei Impulse, die nicht ohne weiteres eine Einheit bilden; da ist der *gefühlsmäßige*, das heißt tief in der eigenen Sozialisationsgeschichte wurzelnde Antrieb, an die Seite der *Unterdrückten* zu treten – und daneben die dokumentierende Analyse ihrer Lebens- und Leidensbedingungen, die mit einiger Regelmäßigkeit in eine zwar fundierte, aber grobschlächtige Kapitalismuskritik mündet.

«Persönliche Probleme werden historisch versachlicht»[287], so resümierte Walter Jens diese Entwicklung; und in Weiss' nächstem Theaterstück geschieht dies auf politisch plausible und ästhetisch attraktive Weise. Der *Gesang vom Lusitanischen Popanz*, geschrieben im Dezember 1965, wurde im Januar 1967 von einer jungen Stockholmer Theatergruppe unter Mitarbeit des Autors und seiner Frau uraufgeführt (die deutschen Theater hatten sich zunächst zurückgehalten). Weiss verbindet erprobte Verfahren, die Dokumentation realer Zustände und ihre drastische szenische Zurichtung, zu einer wahrhaft «politischen Dramaturgie». Sie «nimmt Angola als Beispiel für Geschäfte im Namen des Abendlandes, für Unterdrückung im Namen der Freiheit, für die Machenschaften des Kapitalismus, die in unseren ... Breiten weniger auffällig und gefährlich» erscheinen. Die Mißstände und Auswüchse der (beispielhaft stehenden) portugiesischen Kolonialherrschaft, die dem Terror des historischen Faschismus kaum nachstehen, werden wiederum nicht in einer geschlossenen Fabel, sondern in einer Revue von 11 Szenen veranschaulicht, «die allein durch den Ort und den Sachverhalt kolonialistischer Unterdrückung verbunden» sind. Sie werden «zu kollektiven Gesängen des Leidens und Aufbegehrens auf der einen Seite, der Gewalttätigkeit, Arroganz auf der anderen» ausgestaltet, aber auch zu «beispielhaften Einzelfällen: Hier ist der Fall einer geschundenen Hausangestellten, deren Mann im Bergwerk zwangsverpflichtet ist; da ein Bild des niedergemetzelten Aufstandes; hier ein Party-Dialog der Weißen; da in einem Wechselgesang der Rückblick auf die Anfänge von Angolas Kolonialgeschichte». Musik, Pantomime, der fliegende Rollentausch von nur sieben Darstellern bei einer Vielzahl von Rollen, ein so rasanter wie kontrastreicher Szenenwechsel betonen den «Collage-Charakter des Stücks»[288]. Zusammen mit dem Titel-*Popanz*, einer aus *Eisenschrott* gefertigten riesenhaften Allegorie der Kolonialherrschaft selbst, die zum Schluß *mit gewaltigem Krach*[289] zu Fall gebracht wird, ergibt das eine Fülle von szenischen Möglichkeiten für ein «agitierendes», das heißt: aufregendes und zum Handeln anreizendes Theater.

Es wurde auch von der Kritik weithin als gelungenes, vielversprechendes Exempel jener Dramaturgie begrüßt, die Weiss in seinen *Notizen zum dokumentarischen Theater* bei einer Brecht-Tagung in der DDR 1968 vorstellte: *Die Stärke des dokumentarischen Theaters liegt darin, daß es aus den Fragmenten der Wirklichkeit ein verwendbares Muster, ein Modell der aktuellen Vorgänge, zusammenzustellen vermag ... Mit seiner Schnittechnik hebt es deutliche Einzelheiten aus dem chaotischen Material der äußeren Realität hervor ... Indizien werden vorgelegt. Schlußfolgerungen werden gezogen aus einem kenntlichen Muster. Authentische Personen werden als Repräsentanten bestimmter gesellschaftlicher Interessen gekennzeichnet. Nicht individuelle Konflikte werden dargestellt, sondern sozial-ökonomisch bedingte Verhaltensweisen. Das dokumentarische Theater, dem*

«Gesang vom Lusitanischen Popanz», Uraufführung: Scala Teatern Stockholm, Januar 1967, Regie: Etienne Glaser

es ... um das Beispielhafte geht, arbeitet nicht mit Bühnencharakteren und Milieuzeichnungen, sondern mit Gruppen, Kraftfeldern, Tendenzen.[290] Auf deutschen Bühnen erlebte der *Popanz* dennoch nur wenige Aufführungen; die kreativen Möglichkeiten, die diese Spielvorlage – in der Tradition von Brechts Lehrstücken – besonders einer kollektiven Theaterarbeit bot, wurden ebensowenig aufgenommen wie die politische Provokation, die es im Hinweis auf die massive Mitverantwortung kapitalistischer Staaten – nicht zuletzt der Bundesrepublik – an den gezeigten Mißständen artikulierte. Erregte offizielle Proteste aus dem vorrevolutionären Portugal und der Erfolg von Aufführungen in Südamerika und im arabischen Raum bekräftigten hingegen auf unterschiedliche Weise die bis heute nicht abgegoltene politische Brisanz dieses Bühnenspektakels.[291]

Für Weiss war der *Lusitanische Popanz* lediglich *Teil eines größeren Projekts*, das verschiedene Ausformungen der «Hölle auf Erden»[292], *das universale KZ*[293] in Einzelbildern zeigen sollte und seine Herkunft aus dem Dante-Plan nicht verbirgt. Er ist als Gesamtprojekt nie realisiert worden, wohl aber entwirft Weiss noch weitere Teile: die Jahre von 1966 bis 1968 sind ausgefüllt mit entsprechenden Notizen, Materialsammlungen (etwa über die mittelamerikanischen *Bananenrepubliken*, über Somozas *Nicaragua: ein Land im Privatbesitz*[294]), mit Reisen und Publikationen. Im April 1966 nimmt Weiss, anläßlich einer Tagung der Gruppe 47, an einer Anti-Vietnam-Demonstration in der Princeton University teil; im August erscheint sein Aufsatz *Vietnam!* (wiederum in «Dagens Nyheter» und «Neues Deutschland»); im April 1967 wird ein Theaterstück über Vietnam nach längeren Vorarbeiten niedergeschrieben; unmittelbar danach sind Gunilla und Peter Weiss an der 2. Sitzungsperiode des Russell-Tribunals in Stockholm beteiligt, das die Kriegsführung der USA auf den Vorwurf von Völkermord und Kriegsverbrechen hin untersucht[295]; im Juli reisen sie nach Kuba und treffen mit Fidel Castro zusammen; im Oktober erscheint der Nachruf auf den in Bolivien erschossenen Guerillaführer Che Guevara; im Februar 1968, auf dem Höhepunkt der internationalen studentischen Protestbewegung, spricht Weiss auf dem Vietnam-Kongreß des Sozialistischen Deutschen Studentenbundes in Berlin; sein Vietnam-Stück wird im Frühjahr in Frankfurt am Main und Rostock aufgeführt. Im Mai und Juni 1968 schließlich unternehmen Gunilla und Peter Weiss eine lang geplante und ausgedehnte Reise in die Demokratische Republik Vietnam, wo sie mit Repräsentanten des politischen und kulturellen Lebens zusammentreffen und Material für zwei dokumentarische Berichte über die *Angriffe der US-Luftwaffe* und über das *kulturelle Leben*[296] Nordvietnams sammeln, die noch im gleichen Jahr in schwedischer und deutscher Sprache erscheinen.

Eine gesundheitliche Schwächung, die Peter Weiss schon während des Vietnam-Aufenthalts erschütterte, schließt diese Zeit einer fast schon hektischen Aktivität krisenhaft ab.

Reisen und Begegnungen ... mit Sartre, 1967

... mit Fidel Castro, 1967

... mit Truong Chin, 1968

... mit Giorgio Strehler, 1969

In der Konzentration auf den vietnamesischen Befreiungskampf, der zu dieser Zeit in seine letzte entscheidende Phase trat, traf Weiss sich mit den Intentionen der Studentenbewegung, für die jener Kampf gegen die USA wie auch die legendäre Gestalt Ho Chi Minhs einen der wichtigsten Identifikationspunkte bildete. Der Kontakt mit den studentischen Protestaktionen blieb jedoch punktuell; bei aller Übereinstimmung des politischen Engagements scheint Weiss den zutage tretenden Generationsunterschied als hemmend empfunden zu haben.[297] Sein eigenes Viet-nam-Stück, das er mit Unterstützung des Historikers und SDS-Mitglieds Jürgen Horlemann erarbeitet hatte, konnte die hochgesteckten Erwartungen kaum erfüllen. Die szenische Collage will in zweimal elf Szenen zweieinhalb Jahrtausende vietnamesischer Geschichte als eine «Geschichte der Machtergreifungen, Kolonialisierungen und Befreiungen» veranschaulichen, «die immer wieder zu Unterdrückung erstarren».[298] Dabei verzichtet sie weitgehend auf die drastische Theatralik des *Popanz*, setzt fast ausschließlich auf das gesprochene Wort und eine symbolisch angelegte Bewegungsregie. Im ersten Teil dominiert ein chronikalischer Grundzug; die Befreiung von der französischen Kolonialherrschaft 1953 und die Teilung des Landes bilden eine Zäsur; im zweiten Teil, weitgehend als «Zitatmontage»[299] angelegt, soll die neoimperialistische Politik der USA mit ihren vorgeschobenen und tatsächlichen Motiven entlarvt werden: das Ganze wird präsentiert als *Diskurs über die Vorgeschichte und den Verlauf des lang andauernden Befreiungskrieges in Viet Nam als Beispiel für die Notwendigkeit des bewaffneten Kampfes der Unterdrückten gegen ihre Unterdrücker sowie über die Versuche der Vereinigten Staaten von Amerika die Grundlagen der Revolution zu vernichten.*[300]

Man ist versucht, die ebenso lehrhafte wie monströse Ankündigung mit Heinrich Vormwegs lakonischer Bemerkung zu kommentieren: «Es konkretisiert sich szenisch nicht.»[301] Tatsächlich hat Weiss für die historischen Zusammenhänge und epochalen Prozesse, die er vortragen läßt, kein plastisches und szenisch wirksames Modell finden können; das Spiel der *Gruppen, Kraftfelder, Tendenzen* entwickelt sich nicht zur dynamischen Struktur: es wird mehr oder weniger nur berichtet.[302] Und indem der *Diskurs* in diesem Sinne nur «Diskurs», teils berichtende, teils belehrende Rede bleibt, fällt Weiss auch hinter die Gestaltungs- und Wirkungsmöglichkeiten zurück, die er seiner dokumentarischen Dramaturgie bereits gewonnen hatte.

Der *Viet Nam Diskurs* hat in der Bundesrepublik (Frankfurt, München) wie in der DDR (Rostock, Berliner Ensemble) nur je zwei vollwertige Inszenierungen erfahren; auch das internationale Echo blieb spärlich. Und doch war der Tiefpunkt in der Resonanz des Theaterautors Weiss damit noch nicht erreicht. Ihn kann man sehr präzise auf den 20. Januar 1970 datieren, als sein nächstes Stück *Trotzki im Exil* in der Regie von Harry Buckwitz und der Bühnengestaltung von Gunilla Palmstierna-

«Viet Nam Diskurs» am Volkstheater Rostock, März 1968. Regie: Hanns Anselm Perten

Weiss zur Eröffnungswoche des neuen Düsseldorfer Schauspielhauses uraufgeführt wurde. Mit diesem, im Dezember 1968 begonnenen Stück bewies Weiss überdies ein weiteres Mal seine erstaunliche Fähigkeit, den *Standpunkt* «zwischen allen Stühlen» einzunehmen...

Trotzki im Exil erinnert zwar an *Marat/Sade*: nicht nur kulminiert das Stück in einer Ermordungsszene, es wählt auch einen einheitlichen szenischen Rahmen (eben Trotzkis letztes, mexikanisches Exil), um von dort aus in imaginären Rückblenden die Stationen seiner Lebensgeschichte und der russischen Revolutionsgeschichte in Szene zu setzen. Daß aber diese Szenen, bei gewaltigem Personenaufwand, eben nur erinnert (und nicht wie in Marat/Sade als Theater gespielt) werden, ist bereits eine strukturelle Schwäche des Stücks. Sie wird dadurch verschärft, daß Weiss zwar einen historischen Bilderbogen um seinen individuellen Helden entwirft (also eine kolportagenahe Form, die er bislang gemieden hatte), andererseits aber auf die entsprechenden szenischen Mittel verzichtet. «Es ist ein langes Diskussionsstückchen, in dem die Akteure einander dauernd Sachen sagen, die sie einander ohne Publikum nicht sagen würden.»[303]

Intendiert ist *Trotzki im Exil* zweifellos als Beitrag zur Aufarbeitung unbewältigter Revolutionsvergangenheit, als ein *Versuch, gerechte historische Proportionen wiederherzustellen*, und als *Angriff* auf das offizielle, im Stalinismus wurzelnde Geschichtsbild, in dem Trotzki nach wie vor *als Sündenbock* herhalten muß *für die verschiedensten Erscheinungen, die den sowjetischen Parteidirektiven widersprechen*. Auf der Suche nach dem Grund dafür, daß Trotzkis *Name in den sozialistischen Ländern immer noch mit diesem historisch einzigartigen Tabu belegt ist*, einer *Verdrängung* unterliegt, stößt Weiss auf *seine Perspektive der permanenten Revolution... seine Befürwortung des unaufhörlichen Befreiungskampfes auf allen Kontinenten... und darunter liegt, ständig fortwirkend, sein Bruch mit Stalin, als er sein internationalistisches Anathema dem Prinzip des sozialistischen Aufbaus in einem Land entgegenstellte.*[304] Und eben dieser internationalistische Ansatz ist es, der Weiss zur Behandlung des Stoffes anregt und ihn in Kontinuität mit den vorhergehenden, scheinbar ganz anders angelegten Stücken stellt (das Motiv der *permanenten Revolution* könnte man gar bis zu Weiss' *Marat*, jenem anderen revolutionären *Sündenbock* und Märtyrer zurückverfolgen). Der Dramatiker will den sozialistischen Staaten *die Auseinandersetzung mit einem kontroversiellen Stoff*[305] nicht ersparen, die er den kapitalistischen schon mehrfach zugemutet hatte. Pointiert nennt Weiss, seit 1969 Mitglied der schwedischen VPK (Linkspartei der Kommunisten), dieses *Stück* seinen *Beitrag zum Lenin-Jahr 1970*.[306]

Das mag man angesichts der Mechanismen von Meinungsbildung und Kulturpolitik im real existierenden Sozialismus naiv nennen. Naiver war es freilich, ausgerechnet von einer Aufführung im neu erbauten Düsseldorfer Schauspielhaus, «zwischen dem Thyssen-Wolkenkratzer und einer Chase Manhattan Bank-Filiale gelegen ... ein Gral des Geldbürgertums», den Anstoß zu revolutionärer Erinnerungsarbeit und zu «Diskussionen über ungenutzte Möglichkeiten des Sozialismus»[307] zu erwarten. So ergeben sich mancherlei Widersprüchlichkeiten: *Trotzki im Exil* wurde gerade von der liberalen Kritik als «Schulfunk» und «tödliches Theater»[308] verrissen; einzig die Springer-Presse lobte eine angebliche «Ehrenrettung Trotzkis»[309], die gewiß nicht auf ihre Wertschätzung *der permanenten Revolution* gegründet war. (Offensichtlich hatte die Düsseldorfer Dramaturgie das Stück durch Kürzungen zu einer Art «Lehrstück» über die Schrecken der Revolution zu stilisieren versucht.) Protestierende Studenten erzwangen den Abbruch der Generalprobe; am folgenschwersten erwiesen sich jedoch – nicht unvorhersehbar – die Reaktionen von staatssozialistischer Seite.

Peter Weiss hat diese Turbulenzen in fast existentieller Weise als *Niederlage*[310] erfahren. Schon im Juni, als die *Texthefte ausgedruckt* und versandt waren, vermerkt er: *Heftige Reaktionen aus Rostock. Telegramm: wie ich im Leninjahr antisowjetische Hetze und trotzkistische Ideologie betreiben könnte.*[311] Sein russischer Übersetzer Lew Ginsburg polemisiert in der «Literaturnaja Gaseta» gegen Weiss, hinter dessen Stück «der zutiefst antisowjetische Gedanke» stehe, «daß die Flamme des Oktober ‹vorläufig› aus der Sowjet-Union in andere Bereiche des Erdballs übergegangen sei, die verleumderische maoistische Version von der ‹bourgeoisen Entartung› der Sowjetgesellschaft».[312] Zum erstenmal erfährt Weiss die Auswirkungen einer *bedrückenden Kulturpolitik* am eigenen Leibe. Sanktionen zeichnen sich ab: Das eben abgeschlossene Buch des Rostocker Germanisten Manfred Haiduk, «Der Dramatiker Peter Weiss», *wird nun nicht erscheinen dürfen*[313]. Die Kooperation mit dem dortigen Volkstheater, der wichtigste kontinuierliche Arbeitszusammenhang des Theaterautors, reißt ab. Dennoch notiert Weiss kurz vor der Düsseldorfer Premiere: *Mit der DDR die Diskussion über Kultur aufnehmen – ich würde mich ewig anklagen, wenn ich lügen oder die Wahrheit zurückhalten würde* –, und wenig später, im Blick auf seinen *Trotzki: In Moskau sollte er auf der Bühne stehen, neben Lenin, in Prag, in Rostock, im Berlin der DDR* – er registriert *eine ungeheure Hetze, von rechts, von links* – und sucht in ausführlichen Aufzeichnungen nach Erklärungen sowohl für die Ablehnung im Westen – *In der Laufbahn des Schreibers gibt es keinen*

«Trotzki im Exil» im Schauspielhaus Düsseldorf, Januar 1970. Regie: Harry Buckwitz

Theaterabend, der solche Qual, solchen Auswurf von schriller Bösartigkeit enthalten hätte, wie die Düsseldorfer Generalprobe des Trotzki – wie auch der Vorwürfe und Forderungen aus dem Osten: *Natürlich war meine Erwartung, daß sich in den sozialistischen Ländern ein seit Jahrzehnten verdrängtes Thema besprechen ließe, naiv ... am schwersten fiel es mir jedoch, zu akzeptieren, daß eine gegenseitige Verständigung wiederhergestellt werden könnte, wenn ich mein Trotzki-Stück widerriefe, zurückziehe, wenn ich ein Bekenntnis meiner Verirrungen aufbrächte.*

Unsere Krankheiten sind zumeist politische Krankheiten, heißt es im gleichen Zusammenhang – und es ist allzu naheliegend, dies auch auf eine schwere gesundheitliche Krise zu beziehen, die Weiss Anfang Juni 1970 durchlitt. Am Tage nach der Einlieferung in eine Klinik notiert er: *Das Sonderbare: keine Angst vorm Sterben. Es geht leicht und eigentlich ist es schön.* Und gleich anschließend *Besuch von Marx*[314] – kein Fiebertraum des Patienten, sondern der Hinweis auf ein neues Projekt, in dem der Begründer des wissenschaftlichen Sozialismus, entgegen der Chronologie, einen Dichter besucht, der *an Teutschland zugrunde gegangen ...*[315] Schon *kurz nach der «Trotzki»-Niederlage*[316] hatte der Plan eines *Hölderlin*-Dramas erste Konturen angenommen, und zwar in Konkurrenz mit der – wie häufig nach Abschluß einer Arbeit oder in Krisensituationen – bekräftigten Absicht, jetzt endlich *DC*, die Umdichtung der «Divina Commedia», und zwar als *Roman*[317], in Angriff zu nehmen. Aber noch einmal wird dieses Projekt aufgeschoben.

Mit dem *Hölderlin*-Stück schließt sich Peter Weiss einer Einschätzung an, die in der neueren literaturwissenschaftlichen Forschung vor allem von Pierre Bertaux[318] durchgesetzt wurde. Sie sieht den Dichter nicht mehr als göttlich inspirierten Seher, sondern als politisch bewußten und Partei ergreifenden Zeitgenossen, als Anhänger der Französischen Revolution, pointiert als «Jakobiner», dessen «ganzes Werk ... eine einzige Spekulation oder Reflexion der Problematik der Revolution» sei, «eine durchgängige Metapher dieser Problematik».[319] Aber natürlich geht es Weiss nicht um Literaturgeschichte; Hölderlin steht für ihn wie Marat oder Trotzki in der Reihe jener *Menschen, die sich mit ihrer ganzen Person einsetzen für eine grundlegende Umwandlung der existentiellen Verhältnisse und die von der Realität in die Ecke gedrängt und bis an den Rand der Vernichtung oder bis in die tatsächliche Vernichtung getrieben werden*[320]. Ein weiterer «revolutionärer Märtyrer» also, dessen Passion wir in einem Bogen von teils historisch verbürgten, teils auch erfundenen Spielszenen miterleben; der am Widerspruch zwischen den begeisternden Idealen der Französischen Revolution (die erste Szene spielt am Tage der Ermordung Marats!) und einer deutschen Misere zerbricht, die durchs Fortbestehen der ausgehöhlten Feudalordnung und die Etablierung der bürgerlich-kapitalistischen Gesellschaft charakterisiert ist. In ihr, die sich den Forderungen nach Freiheit, Gleichheit, Brüderlichkeit verdankte,

«Hölderlin» am Deutschen Schauspielhaus Hamburg, Oktober 1971.
Regie: Claus Peymann

bleibt unter alten und neuen Ungleichheiten die Entfaltung des einzelnen, seiner Fähigkeiten und Glücksansprüche unmöglich. Das erfährt Hölderlin als Erzieher in adligem Hause und als Liebhaber einer Dame aus dem Großbürgertum; aber auch als revolutionärer Denker, dessen Jugendfreunde und einstige Gesinnungsgenossen sich, wie die Philosophen Hegel und Schelling, mit den bestehenden Verhältnissen arrangiert haben; und schließlich als Dichter, dem die *Kunst Waffe ist* und den die bewunderten Weimaraner, vor allem der *Herr von Göthe*[321], schlichtweg ignorieren.

Die Folge von sechs Bildern wird durch *Prolog* und *Epilog*, in denen Hölderlin verfremdend aus seiner Rolle tritt und das Spiel kommentiert, nicht nur als Abbild einer vergangenen, sondern auch als Sinnbild oder Modell der gegenwärtigen historischen Situation präsentiert:

Wir haben die Gestalt des Hölderlin so angelegt
dass er sich drinn befindet und bewegt
als spiegle er nicht nur vergangne Tage
sondern als ob die gleichen Aufgaben er vor sich habe
denen auch manche von den Heutgen gegenüber stehn
ohne die Lösung aus den Widersprüchen noch zu sehen[322]

Die stilistische Spannung zwischen archaisierendem Sprachgestus, Knittelversen und Moritatenstil einerseits und einer analytischen, teilweise marxistisch geprägten Begrifflichkeit soll diese parabolische Doppelbödigkeit ebenso verstärken wie das auch hier verwendete «Spiel im Spiel». In der sechsten Szene, die ins Jahr 1799 gesetzt und historisch nicht verbürgt ist, trägt Hölderlin mit Unterstützung eines *Chors* den noch einmal zusammengerufenen – und weithin verständnislosen – Jugendfreunden aus dem Tübinger Stift *den Grund zum Empedokles* vor. Empedokles wird hier, in epischem Bericht und angedeuteten Dialogen, als sozialer Erneuerer, Guerillaführer und durch seinen Opfertod im *Aethna* schließlich als «revolutionärer Märtyrer», als *mythische Figur*[323] gedeutet:

er wird den nach ihm Kommenden
zum VorBild

Sein objektiv aussichtsloser Kampf wird zum Fanal und Versprechen für eine revolutionäre Zukunft:

War ihm und den Genossen
die Zeit auch noch nicht günstig
... dauerhaft nur bleibt
die Handlung dieser Wenigen
die zu vielen werden[324]

Kampf und Untergang des Empedokles spielen, wie Hölderlin seinen Zuhörern erläutert, *Fünfhundert Jahr eh/ unsre ZeitRechnung begann/ und heut*[325], für Weiss und sein Publikum aber noch auf einer dritten Ebene, in der Gegenwart der sechziger Jahre. Durch lexikalische Verfremdungen (so gebrauchen die *paar FeldArbeiter*, die sich dem Kampf anschließen, ihre *Machetas*[326]) verweist das Geschehen auf den südamerikanischen Guerillakampf, Empedokles selbst erscheint als *VorBild* Che Guevaras, dessen *direkte und unverzügliche Aktion* Weiss einige Jahre zuvor gegen die *Nachrede* aus dem *Arbeiterstaat der Oktober-Revolution* verteidigt hatte, sie *sei weltfremd, es fehle an objektiven Voraussetzungen für jeden Erfolg.*[327]

So mündet dies Stück über die «teutsche Misere» unvermutet in die Programmatik des *revolutionären Internationalismus*, der sich erneut als Kern des politischen Selbstverständnisses von Peter Weiss, zumindest in den späten sechziger Jahren, erweist. Daß die Bedeutung des spontanen Widerstandskampfes und der «revolutionären Ungeduld» dabei positiv akzentuiert wird, hat Weiss denn auch Kritik der DDR-Forschung eingetragen: «Wie bei Che Guevara... findet sich bei Hölderlin... und auch bei Peter Weiss eine Überschätzung des subjektiven Faktors für die Revolution.»[328] Von einem «Rückzug in den Idealismus»[329] sprachen andererseits auch westliche Kritiker des Stücks, das nun wiederum eine Reihe von profilierten und umstrittenen Aufführungen fand. Es inszenierten Peter Palitzsch in Stuttgart, Claus Peymann in Hamburg sowie – jeweils mit Bühnenausstattung durch die Frau des Autors – Hanns Anselm Perten in Rostock und Ingmar Bergman in Stockholm.

Richtig ist zumindest, daß hier in erster Linie die ideellen Triebkräfte historischer Umwälzungen thematisiert werden – anders gesagt: die Rolle der Intelligenz, genauer sogar der künstlerischen Intelligenz im revolutionären Prozeß. Denn Hölderlin ist ja nicht im gleichen Sinn wie Marat oder Trotzki ein scheiternder Revolutionär; sondern, wie Weiss betont, ein revolutionärer Dichter – und wird in dieser Doppeleigenschaft gleich zweimal verkannt und abgelehnt.

Hölderlin endet mit einem resignativ-utopischen Doppelschluß. Die siebte Szene zeigt ihn, der historischen Realität folgend, als einen *Fall von PersönlichkeitsSpaltung* in der Behandlung des Psychiaters *Autenrieth* im *Clinicum zu Tübingen*[330], sodann *in seinem kleinen runden Zimmer / im Thurm des Hauses drinn er blieb für immer*[331]. Der sogenannte Hölderlin-Turm, in dem der schizophrene Dichter seit 1807 in der Obhut des Schreinermeisters Zimmer und seiner Familie lebte, wird zum Dingsymbol letzter und schärfster Isolation des vereinzelten und verzweifelten Künstlers (und schließt somit an die Reihe imaginärer Turmbauten an, die in ähnlicher Bedeutung schon in den Frühwerken von Peter Weiss aufzufinden sind). Hölderlins «Entrückung» erhält bei Peter Weiss eine forcierte – und in der Diskussion vielfach zurückgewiesene[332] – Deutung: als Verweigerung gegenüber einer Realität, die ihm Entfaltung und Wirksamkeit verweigerte. Hölderlin *ist der Mensch, der von allen Instanzen der Wirklichkeit so zusammengehauen worden ist, daß ihm nichts anderes übrigblieb, als sich in seinem Turm zu verkriechen.*[333]

Eben dort empfängt er in der Schlußszene den Besuch eines jungen Herrn, der sich als *grosser Verehrer* seiner Gedichte und *Redactor an der Rheinischen Zeitung* vorstellt. Er hat nicht nur dem *Raucher* Hölderlin *von Tabak / etwas mitgebracht zwar / ist es eine Marke die / vom räuberischen englischen / Gesindel stammt doch / äusserst angenehm / zu qualmen*[334] – er setzt auch sogleich seine philosophischen, juristischen und ökonomischen Studien in Bezug zu der *überhöhten Schau* des Dichters:

Zwei Wege sind gangbar
zur Vorbereitung
grundlegender Veränderungen
Der eine Weg ist
die Analyse der konkreten
historischen Situation
Der andre Weg ist
die visionäre Formung
tiefster persönlicher Erfahrung[335]

Die Begegnung mit dem jungen *Herrn Marx*[336] (in Hölderlins Todesjahr 1843 datiert) ist eine «halsbrecherische Erfindung»[337] wie zuvor die zwischen Marat und de Sade. Man mag sie als «Heiterkeit»[338] erregende Banalisierung oder als Nachdenken provozierende «historical fiction» verstehen und inszenieren. Unabhängig davon verweist sie darauf, daß der Autor Peter Weiss in dieser Passage wie im Stück insgesamt aus persönlicher und künstlerischer Betroffenheit spricht. Die surrealistisch-*visionäre Formung tiefster persönlicher Erfahrung* und die dokumentarische *Analyse der konkreten historischen Situation* kann man ja durchaus als die polar entgegengesetzten Verfahrens- und Schreibweisen des «individualistischen» und des «politischen» Peter Weiss ansehen. Die Entscheidung, im *VietNam-Diskurs* ganz auf die *Analyse* zu setzen (stofflich durchaus begründbar), erwies sich unter dem Wirkungsaspekt als unbefriedigend; als Versuch, die *visionäre Formung* wieder in die dramatische Formgebung zu integrieren, ist *Hölderlin* dagegen nicht nur ein historisches und auf politische Aktualität zielendes Stück, sondern auch, vielleicht vor allem, ein Stück künstlerischer Selbstverständigung. Er habe seine *eigenen Erfahrungen* in Hölderlins Gedichte *hineingelesen*, notiert Weiss im Dezember 1970, und: *Ich bewerte dieses Stück, mehr als irgendeine andre meiner bisherigen Arbeiten, als Unterlage für meinen eigenen Versuch, die Widerstände, Widersprüche und Verbautheiten ringsum in mein Blickfeld zu rücken und mit ihnen fertig zu werden.*[339]

Die Gleichwertigkeit von *Formung* und *Analyse*, Ästhetik und Politik – *Poesie und Revolution gehören zusammen*[340] – wird im *Hölderlin* eher proklamiert als eingehend dargelegt oder gar ästhetisch realisiert. Aber diese Proklamation formuliert eine Aufgabe.

«. . . aufzeichnen, was ich früher nicht sah». Die Ästhetik des Widerstands. 1972–1981

Sartre sagte (in Stockholm) Sie haben noch 5–8 Jahre, höchstens 10. Nach 60 ist nichts mehr zu machen – Auf diese Tagebuchnotiz vom März 1972 folgen unmittelbar die knappen Vermerke *Bremen im seltsamen Licht* und *Divina Commedia.*[341] Die Erfahrung des Alterns, die Erinnerung an weit zurückliegende *Durchgangsstationen* des Lebensweges verknüpfen sich mit dem lang gehegten, nie realisierten Plan, ein *Welttheater* der Gegenwart zu schreiben, *das der Struktur der «Göttlichen Komödie» folgen* und wesentlich eine *Schilderung der Unterdrückten und Gepeinigten*[342] enthalten sollte. Dabei ist die Abkehr von der dramatischen Form und von der Dante-Figur selbst bereits vollzogen: Einem modernen Ich-Erzähler wird nun die *ungewöhnliche Neugier* und der *Wahrheitsfanatismus* übertragen, die eine andere Notiz *Dante* dem *Reporter*[343] zuschreibt. Peter Weiss projektiert, anders gesagt, einen historischen Roman, der diese herkömmliche und bei den Autoren des antifaschistischen Exils beliebte Form jedoch in mehrfacher Hinsicht weiterentwickelt bzw. sprengt.

Seit Anfg. Okt. 71 Gedanken zum Roman, heißt es zu Beginn der fast tausend Seiten starken *Notizbücher 1971–1980*, und gegen Ende: *. . . heute Donnerstag den 28. August habe ich die Ästhetik abgeschlossen*[344] (1980). Zwischen diesen beiden Eintragungen liegt ein Jahrzehnt angestrengter, ja verzehrender Arbeit an dem Projekt, das im Rückblick als die «Summe» des Autors Peter Weiss erscheint: 1975, 1978 und 1981 erschienen die drei Bände des Romans *Die Ästhetik des Widerstands*, vom literarischen Betrieb zunächst ignoriert, dann teils heftig kritisiert, schließlich breit diskutiert und mehr und mehr als ein erzählerisches «Jahrhundertwerk»[345] gewürdigt.

Die Fülle der politischen und kulturgeschichtlichen Realien, Themen und Probleme, die es ausbreitet (und die als solche schon den Rückgriff auf die Prosaform nahelegte) sollte den subjektiven Impuls dieser Arbeit nicht vergessen lassen. *Wir nehmen diese Zeit alle stumm mit ins Grab*, notierte Weiss im April 1972, während der ersten Arbeitsphase, *muß noch etwas darüber berichten (nach dem Grenzerlebnis 8. Juni 70).*

Zuvor schon hatte er die Zielrichtung solch erzählerischer Zeitzeugenschaft präzisiert: *Da die Gegenwart immer noch Nachwirkungen enthält von den Auseinandersetzungen in den Vorkriegsjahren, den ersten Kriegsjahren, will ich etwas in Erfahrung bringen über die Bemühungen um eine einheitliche Strategie, um ein Zusammengehn der Arbeiterparteien, über die entstandenen Streitpunkte und den schließlichen Bruch, der zur scharfen Abgrenzung und zur Errichtung zweier entgegengesetzter Gesellschaftssysteme auf dem Boden des geschlagenen Deutschland führte.*[346]

Damit sind einige Voraussetzungen des erzählerischen Projekts markiert: Weiss schreibt seinen «historischen» Roman unter einer dezidiert gegenwärtigen Perspektive; er schreibt ihn von einem parteilichen Standpunkt, als «Buch eines Linken für die Linke»[347]; er schreibt schließlich unter der Arbeitshypothese, daß die Zersplitterung der europäischen Arbeiterbewegung seit Beginn des Jahrhunderts maßgeblich zum Triumph des Faschismus und – über seine Niederwerfung hinaus – zur verhängnisvollen Polarisierung globaler Machtblöcke beigetragen habe. Die Aufgabe, diese vielschichtigen Zusammenhänge darzustellen, ist nicht einfach als Aufzeichnung «erlebter Geschichte» zu bewältigen; aus diesem Wissen heraus reflektiert Weiss auf seine eigene lebensgeschichtliche Position im historischen Prozeß (wie sie zuvor schon im *Fluchtpunkt* deutlich geworden war). Zugespitzt heißt es 1972 in den *Notizbüchern*: *Ich versuche jetzt, das aufzuzeichnen, was ich früher nicht sah... Ich lebte* – in den Jahren des schwedischen Exils – *in unmittelbarer Nähe derer, die im illegalen Kampf standen. Ich fragte nicht nach ihnen. Erfuhr erst später von ihrer Tätigkeit... Meine Erinnerungen... sind mangelhaft, einseitig, gefärbt von subjektiven Eindrücken. Ich gehe vom Fehlenden aus und versuche, Zusammenhänge herzustellen. Hole Erkundigungen ein über die Vorgänge vor 30, 35 Jahren.*[348] Damit wird das erzählerische Projekt zum Komplement des lebensgeschichtlich Versäumten: *...ein zweites, eingebildetes Leben.*[349] Es ist zugleich Erinnerungsarbeit im genauen Wortsinn. *Meine Entwicklung hat sich längst vollzogen und ist unabänderlich. Mein heutiges Wissen aber kann ergänzt werden. Ich nähere mich dem Stoff, indem ich Hinweise, Erklärungen, Berichte einhole, Briefe, Tagebücher, Dokumente studiere.*[350]

Anders aber als der dokumentarisch arbeitende Dramatiker, der die Vielfalt historischen Materials zu idealtypischen *Konzentraten* verdichten mußte, hat der Erzähler nun die Möglichkeit und das Ziel, historische Prozesse in ihrer Differenziertheit auszubreiten, ja *die innern Widersprüche* als *Triebkraft*[351] seines Erzählens zu nutzen. Das bedingt Umfang und Struktur der Erzählung selbst wie zuvor schon Dauer und Mühe der Recherchen. Eingehendes Studium historischer Quellen und Forschungen, die Befragung von zahlreichen Zeitzeugen, die Besichtigung historischer Schauplätze sind nur einige Formen dieser historischen Spurensuche, die sich – ebenso wie die mühsame Suche nach der definitiven Erzählform und Gliederung des Werks – in ihren einzelnen Schritten an den *Notizbü-*

chern 1971–1980 ablesen läßt. «Es gelingt Weiss», so urteilt nach Erscheinen des ersten Bandes Alfred Andersch, einer seiner verständigsten Leser, «ein Gesamtbild der Linken, ihrer Entwicklung von 1918–1939 zu geben, und ihre innere Problematik vollständig darzulegen.»[352]

Dies gilt, wenn man die Zeitspanne bis etwa zum Jahre 1946 faßt, für das gesamte Werk – und zwar in der Zuspitzung, daß es vor allem die Niederlagen und Fraktionskämpfe dieser Linken in ihrer Konfrontation mit dem Faschismus genau und ohne Beschönigung nachzeichnet. Wenn man demnach den Wert des Buches, das zunächst *Der Widerstand*[353] heißen sollte, als Geschichtsbuch, genauer als Beitrag «zur Geschichte der Arbeiterbewegung» und des «Kampfes deutscher Arbeiter gegen das Dritte Reich»[354] keineswegs unterschätzen darf, so ist es andererseits doch ernstlich als Ästhetik dieses Widerstands zu lesen: als ein Text also, der ebenso eindringlich wie der politischen Geschichte den Bedingungen und Wirkungsmöglichkeiten der Kunst nachgeht – und beide Aspekte schließlich zur Frage nach der politischen Qualität ästhetischer Erfahrung verknüpft.

Die Dialektik von Kunst und Politik – die man vorher schon als Bedingungsrahmen für den Entwicklungsgang des Künstlers Weiss verstehen konnte – prägt nun, überaus reflektiert und auf verschiedenen Ebenen, die Werkstruktur. Sie läßt sich zunächst an der Erzähler- und Hauptfigur des Romans aufweisen, jenem namenlosen «Ich», das zumindest einige Eckdaten seiner Biographie (Geburtsjahr[355], tschechoslowakische Staatsbürgerschaft, Exil in Schweden) und die künstlerische «Berufung» mit dem Ich-Erzähler des *Fluchtpunkt* (und mit dem Autor Weiss) teilt – und das wie sie auf der Suche nach seiner *Zugehörigkeit*, seinem *festen Ort* ist. Diese Identitätssuche, die etwa ein Jahrzehnt lang durch halb Europa und vor allem, nach Brechts Wort, quer «durch die Kriege der Klassen»[356] führt, gibt den roten Handlungsfaden der *Ästhetik des Widerstands* ab. Insofern kann man diese, wie Weiss vorschlug, durchaus als *Entwicklungsroman*[357] verstehen, auch wenn sie – anders als der bürgerlich-idealistische Formtypus – den Entwicklungsgang des jungen «Helden» sehr präzise in die reale historische Situation einfügt und auf deren Veränderung rückbezieht. Dieser Entwicklungsprozeß zielt, genauer gesagt, in einer Art von «Doppelstrategie» erstens auf die Ausbildung proletarischen Klassenbewußtseins, auf politische Handlungs- und Widerstandsfähigkeit – ein Ziel, das die ernsthafte Auseinandersetzung mit der Geschichte der Arbeiterbewegung, ihren Krisen und Konflikten voraussetzt.

Zweitens aber zielt er auf eine künstlerische Identität, auf die Definition einer künftigen Aufgabe (nämlich: ein Werk ganz ähnlich wie die *Ästhetik des Widerstands* zu schreiben) und auf den Erwerb des dazu nötigen literarischen Instrumentariums – insofern ist eine nicht weniger intensive Befassung mit der Kunst in vielfältigen Erscheinungsformen unabdingbar. Beides zusammen macht, in enger thematischer und kompositorischer Verknüpfung, den stofflichen und ideellen Reichtum des Romanwerks aus.

Einübung des Widerstands im ästhetisch-politischen Sinn beginnt auf der Berliner Museumsinsel, *am zweiundzwanzigsten September Neunzehnhundert Siebenunddreißig*[358], vor dem Fries des hellenistischen Altars von Pergamon (2. Jh. v. Chr.), – an einem Ort der Kontemplation und der Konspiration im Zentrum faschistischer Herrschaft. Der Ich-Erzähler, Sympathisant der KPD, entziffert in ausgedehnten Diskussionen mit seinen Genossen Coppi und Heilmann den Kampf der Götter und Giganten, den der Altarfries zeigt, als mythologisierendes Abbild historischer Raubkriege u n d als Sinnbild moderner Klassenkämpfe und Hegemonialkriege: *Mehr als zweitausend Jahre waren vergangen, seitdem die ausgehobnen Söhne der Bauern... verbluteten in Schlachten, die zum Untergang des einen, zum Aufstieg des anderen Usurpatoren führten. Vor zwanzig Jahren erst waren unsre Väter aus ihren Massakern gekommen...*[359] In schockhafter Vorwegnahme füllt sich für den Ich-Erzähler, der schon bereit ist *zum Aufbruch nach Spanien*, auch *die Perspektive des Kommenden mit einem Massaker, das sich vom Gedanken an Befreiung nicht durchdringen*[360] läßt. In der antiken Skulptur, in den Szenen körperlichen Kampfes und vielfacher *Tortur*, in der Preisgabe der Körper an *Zerfleischung und Vernichtung... einander haltend und von sich stoßend, einander erdrosselnd, überkletternd, vom Pferd gleitend, in die Zügel verwickelt, überaus verwundbar in der Blöße... grimassierend in Schmerz und Verzweiflung*, erscheinen die kämpfenden und sterbenden Götter und Fabelwesen, *verwoben alle in eine Metamorphose der Qual*, als Metapher menschlicher Historie schlechthin und als Vorausbild künftigen Grauens: *Dies war unser Geschlecht. Wir begutachteten die Geschichte der Irdischen.*[361]

In anderer Hinsicht ist das Kunstwerk selbst, ist seine Entstehung und Überlieferung eingebunden in den historischen Gewaltzusammenhang: *Dieses Reich des Geistes war entstanden durch Gewalt, jeder Äußerung der Kunst, der Philosophie lag Gewalt zugrunde.*[362] Aus dieser Erkenntnis, scheinbar autodidaktisch gewonnen und doch an Gedanken von Marx, Benjamin oder auch Brecht anknüpfend, entwickeln die Freunde im Roman die Maxime ihrer parteilichen Kunstbetrachtung, die im Interesse politischer Emanzipation steht: *Wollen wir uns der Kunst, der Literatur annehmen, so müssen wir sie gegen den Strich behandeln, das heißt, wir müssen alle Vorrechte, die damit verbunden sind, ausschalten und unsere eignen Ansprüche in sie hineinlegen.*[363] Die alte, oft genug kleinbürgerlich entschärfte *Grundidee der Arbeiterbewegung, Wissen ist Macht*[364], wird hier, der historischen Situation entsprechend, aktualisiert und radikalisiert. *Unser Studieren war von Anfang an Auflehnung. Wir sammelten Material zu unserer Verteidigung und zur Vorbereitung einer Eroberung.*[365]

Anleitung zu diesem *Studieren* erhalten die Freunde von Max Hodann,

Pergamon-Altar, Ostfries: Zeus und die Tatze vom Löwenfell des Herakles (zum linken Rand in halber Höhe)

dem kommunistischen Arzt und bedeutenden Sexualpädagogen, den Peter Weiss im schwedischen Exil kennengelernt hatte (und der als *Hoderer* schon im *Fluchtpunkt* eine ähnliche Rolle spielt); eine Leitfigur ihrer *Auflehnung* finden sie im Pergamon-Fries selbst. Bei ihrer historischen Spurensuche stoßen sie, wie der Autor Weiss bei der seinen, auf die Notwendigkeit, vom *Fehlenden* auszugehen und *Zusammenhänge herzustellen*: *Herakles aber vermißten wir, den einzigen Sterblichen, der sich der Sage nach mit den Göttern im Kampf gegen die Giganten verbündet hatte, und wir suchten zwischen den eingemauerten Körpern, den Resten der Glieder, nach dem Sohn des Zeus und der Alkmene, dem irdischen Helfer, der durch Tapferkeit und ausdauernde Arbeit die Zeit der Bedrohungen beenden würde. Nur auf ein Namenszeichen von ihm stießen wir, und auf die Tatze des Löwenfells, das er als Umhang getragen hatte, sonst zeugte nichts mehr von seinem Standort zwischen dem vierpferdigen Gespann der Hera und dem athletischen Leib des Zeus, und Coppi nannte es ein Omen, daß gerade er, der unsresgleichen war, fehlte, und daß wir uns nun selbst ein Bild dieses Fürsprechers des Handelns zu machen hatten.*[366]

Mit dieser Aufgabe der Rekonstruktion ist zugleich die Frage nach der Organisation des revolutionären Kampfes (über die sich die Fraktionen der Linken immer wieder zerstritten haben) angeschnitten, ein Kernproblem proletarischer Identität. Eine erste Ausdeutung der drei Freunde analogisiert Herakles, den Volkshelden und Archetypus des revolutionä-

Internationale Brigaden im spanischen Bürgerkrieg

ren Führers, mit der historischen Figur Lenins. Ein Jahrzehnt und tausend Romanseiten später, im letzten Satz des dritten Bandes, tritt der Erzähler in einem imaginären Zukunftsausblick mit seinen von den Nazis ermordeten Freunden wiederum *vor den Fries*, wo nach den Erfahrungen dieser Jahre kein blindes Vertrauen auf einen Heros der Revolution mehr Bestand haben kann – *Heilmann würde Rimbaud zitieren, und Coppi das Manifest sprechen, und ein Platz im Gemenge würde frei sein, die Löwenpranke würde dort hängen, greifbar für jeden, und solange sie unten nicht abließen voneinander, würden sie die Pranke des Löwenfells nicht sehn, und es würde kein Kenntlicher kommen, den leeren Platz zu füllen, sie müßten selber mächtig werden dieses einzigen Griffs, dieser weit ausholenden und schwingenden Bewegung, mit der sie den furchtbaren Druck, der auf ihnen lastete, endlich hinwegfegen könnten.*[367]

In der so aufgerissenen Perspektive stehen die politischen und ästhetischen Erörterungen, die den Weg der Ich-Figur durch den Roman begleiten: Er nimmt zunächst an der Seite Hodanns als Sanitäter am spanischen Bürgerkrieg teil, flüchtet nach dem Zusammenbruch der Republik über Paris nach Schweden, wo er unter schwierigsten Lebensbedingungen bis Kriegsende bleibt. In einer einzigen, in Fragen, Antworten, Widersprüchen und neuen Fragen vorwärtsdrängenden Denk- und Sprachbewegung werden all die Fragen berührt, die in den politisch-strategischen und in den kunsttheoretischen Debatten der Linken seit den zwanziger Jahren verhandelt worden sind. Die Funktion des bürgerlichen Kulturerbes, der Realismusbegriff, die Stellung des Proletariats zur Avantgardekunst, das sind im Rahmen dieser epischen Konstruktion keineswegs bloß theoretische Streitpunkte. So wie sie einerseits aus der künstlerischen Konkretisierung, aus der Befragung epochaler Werke – vom Pergamon-Fries über Breughel bis Picasso, von Dante bis Kafka und Brecht – entwikkelt werden, so sind andererseits die ästhetischen Erfahrungen hineingezogen in den historisch-politischen Lebenszusammenhang des Betrachters. Die verstümmelten Krieger von Pergamon sind auch die Opfer der Materialschlachten des Ersten Weltkriegs, und Géricaults Gemälde «Das Floß der Medusa» (1817/18) faßt im Bild der Schiffbrüchigen allegorisch das *Sinnbild eines Lebenszustands*[368], den die geschlagenen antifaschistischen Kämpfer unmittelbar als den ihren empfinden: *Doch die Nacht brach an, ohne daß* sie *Hilfe erhalten hätten. Mächtige Fluten überrollen* uns. *Bald vor, bald zurückgeschleudert, um jeden Atemzug ringend, die Schreie der über Bord Gespülten vernehmend, ersehnten* wir *den Anbruch des Tags.*[369]

So wie in diesem Bild (oder vielmehr in seiner identifikatorischen Betrachtung) hatte sich der Erzähler vorher schon, während eines kurzen Aufenthalts im böhmischen Warnsdorf, in einem anderen, scheinbar befremdlichen Werk der bürgerlichen Avantgarde wiedergefunden – Kafkas *Buch... beunruhigte, es bedrängte den Lesenden, weil er die Gesamtheit unserer Probleme aktualisiert sah.*[370] In seiner auf die eigene Klassensituation rückbezogenen Lektüre des Romans «Das Schloß» (1926) wird ästhetische Erfahrung zum Medium der Selbsterkenntnis und damit tendenziell praktisch. (Wenn er dabei – ähnlich wie Bertolt Brecht – Kafkas Buch pointiert als *Proletarierroman*[371] deutet, opponiert er parteioffiziösen Kritikern, die Kafka *als dekadent abgefertigt*[372] hatten und korrigiert zugleich die subjektivistisch-existentielle Lesart des gleichen Romans, die für das «Ich» im *Fluchtpunkt* so wichtig war.)

Die politische Entwicklung des Erzählers in der *Ästhethik des Widerstands* ist mit seiner künstlerischen, wie gesagt, eng verflochten. Neben dem Pergamon-Komplex steht im ersten Band ein ausführlicher Rekurs auf die Geschichte der deutschen Arbeiterbewegung seit 1918, als «erlebte Geschichte» vom sozialdemokratischen Vater des Erzählers rekapituliert – ein Bericht, der für den Sohn und für den Leser Fragen über Fragen aufwirft. Wo liegen, seit Kaiserreich und Weltkrieg, Ursachen und Verantwortung für die Entfremdung, ja Feindschaft zwischen Sozialdemokraten und Kommunisten? Warum finden sie selbst unter faschistischer Bedrohung nicht zu gemeinsamer Aktion? Wie wirkt sich die Führungsrolle der KPdSU auf die Lage in Deutschland und auf die gesamteuropäische Linke aus? Fragen, die wenig später ihre brennende Aktuali-

Théodore Géricault: Das Floß der Medusa. Ölgemälde 1818

tät beweisen. Im spanischen Bürgerkrieg erlebt der Ich-Erzähler die Ausschaltung von anarchistischen und linkssozialistischen Kampfgenossen durch «Stalins langen Arm»[373], erlebt also im kleinen, was gleichzeitig, während die Faschisten sich Europa unterwerfen, in sensationellem Maßstab in den Moskauer Prozessen inszeniert wird: die terroristische Abtötung des demokratisch-libertären Elements in der sozialistischen Bewegung.

Damit bestimmt, neben der zunächst fraglosen Solidarität, zunehmend auch der Zweifel an der Weisheit der Partei das politische Bewußtsein des Romanhelden. Im zweiten und dritten Band wird diese Linie weitergeführt: In Schweden, wo er als Fabrikarbeiter sein prekäres Auskommen findet, zugleich alle Härten der Exilsituation erleidend, registriert er den Opportunismus der regierenden Sozialdemokratie gegenüber den siegreich vorrückenden Nationalsozialisten und nimmt in bescheidener Rolle am illegalen Widerstandskampf kommunistischer Zellen teil. Die Verhaftung eines Gesandten der Komintern, der unter dem *Pseudonym Funk*[374] den Aufbau einer revolutionären Sammlungsbewegung in und für Deutschland vorbereitet (und unter seinem bürgerlichen Namen Wehner dem Zentralkomitee der KPD angehört hatte), erweist 1942 die Chancenlosigkeit einer Strategie der proletarischen Einheitsfront – so wie zuvor schon, 1938 in Paris, die dubiose Ausschaltung des Propagandisten Willi Münzenberg die Aufgabe der Volksfrontpolitik angezeigt hatte.

Noch an diesem Tiefpunkt des politischen Verlaufs treibt das Roman-Ich seinen Bildungsprozeß voran. 1939 trifft es (das hier wie prinzipiell nicht mit dem Autor Weiss gleichgesetzt werden darf!) auf Lidingö bei Stockholm mit Bertolt Brecht zusammen und ist an der Ausarbeitung eines – tatsächlich Projekt gebliebenen – Stückes über den mittelalterlichen Volksführer Engelbrekt beteiligt. Es ist der Versuch, der auch als Maxime für Weiss' Erzählwerk dienen könnte, *eine dramatische Epik zu entwerfen, die den ständigen Verzweigungen und Abspaltungen, den Widersprüchen und Vieldeutigkeiten der Geschehnisse gerecht werden könnte... Den politischen Vorgängen ebenbürtig, unter allen Umständen*, so proklamiert der Stückeschreiber am Tag des deutschen Einfalls in Polen, sei *das Handwerk des Schreibens... Gerade wenn die äußern Gewalten Übergewicht bekamen, drängte er darauf, festzuhalten an dem, was aus eigner Kraft hergestellt worden war.*[375]

Nach diesem Prinzip mündet dann auch die Identitätssuche des Erzählers in das Vorhaben, die *Zeit, die mit dem Mai Fünfundvierzig beendet wurde, zu schildern*[376]. Seine Realisierung mag man in der *Ästhetik des Widerstands* selbst oder besonders auch in ihrem dritten Band sehen, in dem das Erzähler-Ich immer weiter zurücktritt, um als Chronist dieser düsteren Epoche, in einer *Hades-Wanderung*[377] noch ihre dunkelsten Momente festzuhalten, die bestialische Ermordung der Widerstandskämpfer um Harro Schulze-Boysen und Arwed Harnack (zu denen die Freunde

«Funk», alias Herbert Wehner, ca. 1942

des fiktiven Roman-Ichs, Hans Coppi und Horst Heilmann, auch in der historischen Realität zählten[378]) in Plötzensee. Die *Tortur*[379], das Ur-Thema von Peter Weiss, findet hier ihre radikalste, historisch konkreteste und die ästhetische Leidensfähigkeit des Lesers auf die härteste Probe stellende sprachliche Ausformung.

Aber noch dieser fast vollständigen erzählerischen Verdüsterung wird ein Moment des Widerstands und der Hoffnung abgerungen, wenn *Heilmann, abgemagert zum Skelett*, bis zu seiner Ermordung *aufrecht gehalten wird vom Triumph, daß es der Folter nicht gelungen war, Bekenntnisse aus ihm herauszupressen.*[380] Und auf anderer Ebene gewinnt, am Ende des Krieges und des Romans, der Erzähler volle Klarheit über seine zukünftige Aufgabe, in der sich politische und ästhetische Arbeit lebenspraktisch verbinden: *... der Sinn meines langen Wartens aber würde ja sein, von den künftigen Einsichten her das Frühere zu klären ... ein Prozeß, in dem uns die Untersuchung aller Einzelheiten auferlegt ist, und das Schreiben wäre die Tätigkeit, mit der ich dieser Aufgabe nachkommen könnte, und mit der ich mich von den Praktikern unterschiede.* Künstlerische und politische Identität, in früheren Entwicklungsphasen des Autors Weiss bis-

Diskussion bei Brecht, Zeichnung von Hans Tombrock

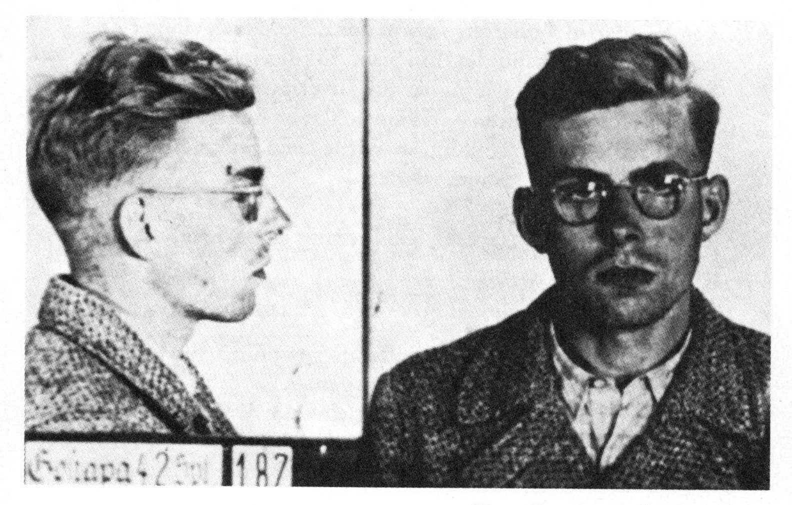

Hans Coppi nach der Verhaftung

weilen ungleichgewichtig akzentuiert, werden im Zukunftsausblick identisch gesetzt – ein fiktionaler Entwurf und eine *notwendige Utopie*[381] gewiß, aber doch auch exemplarisch realisiert in der *Ästhetik des Widerstands*, in einem – nach Wolfgang Koeppens Urteil – «der erregendsten, mutigsten und traurigsten Bücher» unserer Zeit.[382]

Die postulierte Verklammerung von politischer Widerstandsfähigkeit und ästhetischer Sensibilität wird aufgebaut durch den Gang der Erzählung in seiner dialektischen Bewegung. Politische Handlungsfähigkeit, so wird vielfach gezeigt, kann nur gewonnen werden, wenn Politik nicht von bürokratischen Apparaten usurpiert wird, sondern die Erfahrungen der einzelnen, auch die scheinbar unpolitischen, in sich aufnimmt. Und andererseits ist eine tragfähige künstlerische Identität nur zu erreichen, wenn Geschichte und Politik als Bezugsrahmen und Herausforderung der Kunst ernst genommen werden. Antifaschistische Politik wäre demnach, wie bereits in den dreißiger Jahren postuliert, wesentlich «Verteidigung der Kultur» gegen die organisierte Barbarei.[383]

Im Roman wird diese Dialektik konkretisiert: Erst das hautnahe Erlebnis von Gewalt, Terror und Leid im spanischen Bürgerkrieg macht etwa den Erzähler und seinen Kampfgenossen *Ayschmann* (1934 war Peter Weiss in London mit dem Träger dieses Namens befreundet) fähig, die avantgardistische Bildsprache *des Bilds Guernica* (1937) als wesentlich realistisch, das heißt als authentischen Ausdruck von Gewalt, Leid

Die Hinrichtungsstätte in Berlin-Plötzensee

und Widerstand zu entziffern, wie zuvor den 2000 Jahre alten Pergamon-Fries: *Gehämmert zu einer Sprache von wenigen Zeichen, enthielt das Bild Zerschmettrung und Erneurung, Verzweiflung und Hoffnung.*[384] Im Gegenzug schärft die neugewonnene ästhetische Sensibilität wiederum den Blick für politische Widersprüche, auch und gerade im eigenen Lager.

Ähnliches zeigt der Blick auf die politische Programmatik des Textes und ihr Verhältnis zu seinen erzählerischen Mitteln. Fluchtpunkt der politischen Analyse ist zweifellos, wie Weiss in einem Gespräch bekräftigt hat, der *Gedanke der Einheit, der durchgeht durch das Buch und der... die einzige Möglichkeit gewesen wäre, den Faschismus und auch den Stalinismus zu besiegen*[385]. Diese «Botschaft» könnte eine eindeutige, Zweifel und Widersprüche abwehrende, letztlich dogmatische Erzählsprache erwarten lassen. Tatsächlich rückt der Roman vor allem die Versäumnisse und Frevel gegenüber diesem Einheitsgebot, die Zerwürfnisse innerhalb der Linken ins Licht, indem er die kontroversen Standpunkte in zahl- und endlos scheinenden Dialogen und Debatten gegeneinander führt, die aber zugleich, in indirekter oder erlebter Rede[386] dargeboten, in den Erzählfluß dieses Gespräch-Romans integriert bleiben. Nicht weniger bedeutsam sind Techniken der quasi-filmischen Montage – *das ist wohl meine Tradition als Surrealist, die da noch lebendig ist*[387] –, mit denen räumlich oder zeitlich disparate Ereignisse, Realitätsfragmente auf engstem Raum kombiniert und so als spannungsvolle Momente des übergreifenden «gesellschaftlichen Kausalkomplexes»[388] kenntlich werden. Mit diesen stilprägenden Verfahren[389] schließt Weiss sehr bewußt an literarische bzw. bildkünstlerische Traditionen an, die er für seine Intention nutzbar macht, den Leser in die erzählerische Dialektik hineinzuziehen, seine Urteilskraft und Parteinahme zu provozieren.[390] Das gilt entsprechend von der Personengestaltung bzw. von der erzählerischen Realitätsdarbietung überhaupt. Weiss organisiert, was Andersch den «Umschlag von Dokument in Fiktion»[391] nannte, er läßt seine Erzählung zwischen historischer Faktizität und fiktionaler Verknüpfung oszillieren. Die *Figuren im Buch*, heißt es in den *Notizbüchern*, seien *historisch, wie auch alle Plätze und Geschehnisse authentisch sind – und alles wird doch frei behandelt, einem Roman gemäß*. So steht dieser Versuch, die *Epoche der Ambivalenz und der Kontroverse*[392] zu schildern, selbst in einer erzählerischen Ambivalenz, enthält in seiner *Zusammengesetztheit... lauter realistische Fragmente... und die werden verarbeitet in der Phantasie. Phantasie und Wirklichkeit bilden eine Einheit.*[393]

Die zehnjährige Arbeit an der *Ästhetik des Widerstands* ist von umfangreichen Notizen begleitet, die die Suche nach einer angemessenen Form reflektieren. Nicht nur wächst das Projekt weit über die anfängliche Konzeption hinaus – *zuerst hatte ich ein Buch geplant, dann wurden es zwei Bände, zum Schluß saß ich da mit diesen drei Schinken*[394] –, auch die Befürchtung drängt sich auf, *diese Zeit* sei vielleicht nur *in einem ungeheuer monströsen Buch*[394] zu schildern. Sind solche Zweifel selbst noch Momente des Arbeitsprozesses, des Ringens um die adäquate literarische Form, so erweisen sich die Vorbehalte und Verdikte tonangebender Kritiker in der Bundesrepublik als mangelhaft begründet. Die Ablehnung des ersten und zweiten Bandes stützte sich – fast durchgehend in der liberalen und konservativen Presse – auf drei miteinander verflochtene Behauptungen: Der Autor Peter Weiss habe seine ästhetischen Maßstäbe und damit seine Identität als Künstler der politischen Parteinahme geopfert; er habe in «Nibelungentreue» zur Sowjet-Union die inneren Widersprüche der Linken vertuscht; er habe schließlich keine individuelle Personenzeichnung, keine lebendige Handlung – kurz: keine romanhafte Gestaltung zuwege gebracht.[396] Eine – verzögert einsetzende – breitere Diskussion des Werks, besonders innerhalb der westdeutschen Linken, und erste literaturwissenschaftliche Analysen[397] haben indessen gezeigt, wie sehr solche Urteile die Intention und vor allem die Struktur des Textes verkennen, anders gesagt: daß ihnen letztlich politische Vorurteile zugrunde liegen. Das Dogma von der Unvereinbarkeit von Politik und Ästhetik, gegen das Weiss eintausend Seiten lang anschrieb, ist – ironischer- oder auch konsequenterweise – der innerste Kern solcher Vor- und Fehlurteile.

In der DDR schien das *große Publikum*, wie Weiss enttäuscht notiert, zunächst *unzugänglich* zu bleiben, *weil die Kulturfunktionäre das Buch,*

Peter Weiss:
Skizze, 1946

als «nicht übereinstimmend mit der in der DDR gültigen Geschichtsschreibung», verbieten[398]. Inzwischen ist diese abwehrend-zögernde Befassung mit dem Werk auch dort einer positiven (und wiederum durch literaturwissenschaftliche Initiativen[399] vorangetriebenen) Einschätzung gewichen. In der Einleitung zu einer Tagung der Akademie der Künste der DDR (der Weiss als korrespondierendes Mitglied angehört hatte) konnte 1984 immerhin konstatiert werden, daß sowohl das politische wie das künstlerische *Erbe der Arbeiterklasse... in der «Ästhetik des Widerstands» rekapituliert und zugleich in die Zukunft hineingetragen* werde.[400]

Dennoch muß festgehalten werden, wie sehr die jeweiligen Schwierigkeiten der Rezeption den Autor bedrückt und noch während der Arbeit am Schlußband gehemmt haben. Mehrere Eintragungen in die *Notizbücher* des Jahres 1978 belegen dies, am pointiertesten die Feststellung: *...im einen Deutschland wird das Buch herausgegeben und öffentlich verdammt, im andern Deutschland wird es verboten und im geheimen gelobt.* Im gleichen Zusammenhang heißt es am 8. November: *So beginnt mein neues Lebensjahr voller Ungewißheit über den Werdegang der beiden*

Pablo Picasso: Guernica. Ölgemälde, 1937

Peter Weiss: Apokalypse. Ölgemälde, 1945

grauen Bände, die von vielen als häßlich empfunden werden, u die ich, grade ihrer Einfachheit, ja Ärmlichkeit wegen – ihres Charakters von Arbeitsheften – schön finde... Die Krankheit im Sommer: eindeutige Reaktion auf übermäßigen psychischen Druck.[401]

Inzwischen nun ist deutlich zu sehen, daß die *Ästhetik des Widerstands* zwar komplex, aber keineswegs *monströs* (oder, wie Fritz J. Raddatz schlicht formulierte, «kein Roman überhaupt»[402]) ist; daß sie vielmehr gerade in der forcierten Verwendung eigenwillig scheinender erzählerischer Verfahren (Übergewicht von Reflexionen, Relativierung des Erzählerstandspunkts, Entpsychologisierung der Figuren, Beschreibungs- und Montagetechnik) bewußt an Formtraditionen der modernen Literatur, speziell des Romans im 20. Jahrhundert anschließt und sie nach Maßgabe ihrer besonderen Intentionen weiterentwickelt.

Die exzeptionelle Qualität dieses Werks ist nun aber gerade darin zu sehen, daß es an dieser literarästhetischen Evolution teilhat, zugleich aber der Tendenz zunehmender Spezialisierung, der Ausgrenzung des Ästhetischen, mit der sie gewöhnlich einhergeht, energisch und wirkungsvoll opponiert. *Die Ästhetik des Widerstands* hat es nach Meinung mancher Fürsprecher vermocht, «untereinander schweigsame Disziplinen» wie Literaturkritik, Kunst- und Geschichtswissenschaft, politische Soziologie «wieder miteinander ins Gespräch zu bringen»; sie stellt unter dem leitenden Gesichtspunkt einer «kritischen Auseinandersetzung mit der Geschichte und Struktur von Herrschaftssystemen» grundsätzlich auch «die Trennung von Wissenschaft und Kunst in Frage».[403] In ähnlichem Sinn deutet Jürgen Habermas die Lernprozesse und die ästhetische Praxis, die im Roman in verschiedenen Varianten gestaltet sind, als «Beispiel für (die) explorative, lebensorientierende Kraft», die Kunst noch unter schwierigsten Bedingungen zu entfalten vermag: «Die Rezeptionsweise, die ich meine, wird ... noch genauer getroffen durch den heroischen Aneignungsprozeß», den Weiss «an einer Gruppe politisch motivierter, lernbegieriger Arbeiter, im Berlin des Jahres 1937, darstellt, an jungen Leuten, die auf einem Abendgymnasium die Mittel erwerben, um in die Geschichte, auch die Sozialgeschichte der europäischen Malerei einzudringen. Sie hauen aus dem zähen Gestein dieses objektiven Geistes die Splitter heraus, die sie assimilieren, in den Erfahrungshorizont ihres von der Bildungstradition wie vom bestehenden Regime gleichweit entfernten Milieu einholen und so lange hin und her wenden, bis sie zu leuchten beginnen ... In solchen Beispielen einer Aneignung der Expertenkultur aus dem Blickwinkel der Lebenswelt wird etwas von der Intention der aussichtslosen surrealistischen Revolte, mehr noch von Brechts, selbst von Benjamins experimentellen Überlegungen zur Rezeption nicht-auratischer Kunstwerke gerettet.»[404]

Unter einem anderen Blickwinkel tritt die *Ästhetik des Widerstands* mit ihrer spezifischen Erzählweise in die Reihe jener Werke deutschsprachiger Nachkriegsliteratur, die der gesellschaftlich herrschenden Verdrängung der faschistischen (und Verzeichnung der antifaschistischen) Vergangenheit ihre hartnäckige Erinnerungs- und Trauerarbeit mit literarischen Mitteln entgegenstellen. Mehrfach finden sich in den *Notizbüchern* Bemerkungen wie die folgende, die – während einer Reise in die Sowjet-Union 1974 – auf Lenin und Freud zugleich anspielt: *Wer sich nicht an die Vergangenheit erinnert, wird gezwungen, sie wieder zu erleben.*[405] Für die Bundesrepublik bedeutet nach wie vor allein die Hinwendung zur Realität und Geschichte des kommunistischen Widerstands die Bearbeitung einer «versäumten Lektion»; zugleich bietet die *Ästhetik des Widerstands* der westdeutschen Linken einen Fluchtpunkt für ihre – mit der konservativen Rückentwicklung seit den siebziger Jahren dringlich gewordenen – Selbstverständigungsdiskussionen. Im Blick auf die DDR hatte Wolfgang Koeppen den Roman schon 1976 «auch» als «ein Pamphlet ... gegen die Unfähigkeit zu trauern im Stalinismus»[406] gerühmt. 1984 kann im Hauptreferat der erwähnten Akademietagung zumindest unwidersprochen postuliert werden: «Der Roman selbst versteht sich als Erinnerungsarbeit.»[407] Dies mag in der Hoffnung geschehen, daß das Werk und die Diskussion darüber nicht nur von einem weiteren Spielraum künstlerisch-politischer Debatten profitieren, sondern selbst zu einer solchen Erweiterung beitragen könne. Mit dem Erscheinen einer – vom Autor teilweise veränderten – DDR-Lizenzausgabe im Leipziger Henschelverlag wurde 1983 dafür zumindest die materiale Grundlage geschaffen.

Nirgendwo zuhause

Das letzte Lebensjahrzehnt von Peter Weiss stand fast völlig im Zeichen der Arbeit an der *Ästhetik des Widerstands*, die sich schließlich nicht nur als sein ehrgeizigstes künstlerisches Unternehmen erwies, sondern auch als eine wahrhaft erschöpfende Anstrengung seiner Kräfte. Er *halte sich seit mehr als 8 Jahren aufrecht mit diesem Roman-Leben*, notiert Weiss im Januar 1980, nach einem *Kreislaufkrampf* wieder aus dem Krankenhaus entlassen: *Es ist als sei das künstlich Erzeugte zu meinem einzigen Leben geworden, alles was hier vorkommt, ist wahr für mich.*[408]

Von anderen Projekten und politischen Aktivitäten, wie auch von Privatem, ist in den *Notizbüchern* dieser Jahre vergleichsweise selten die

Notizbücher zur «Ästhetik des Widerstands»

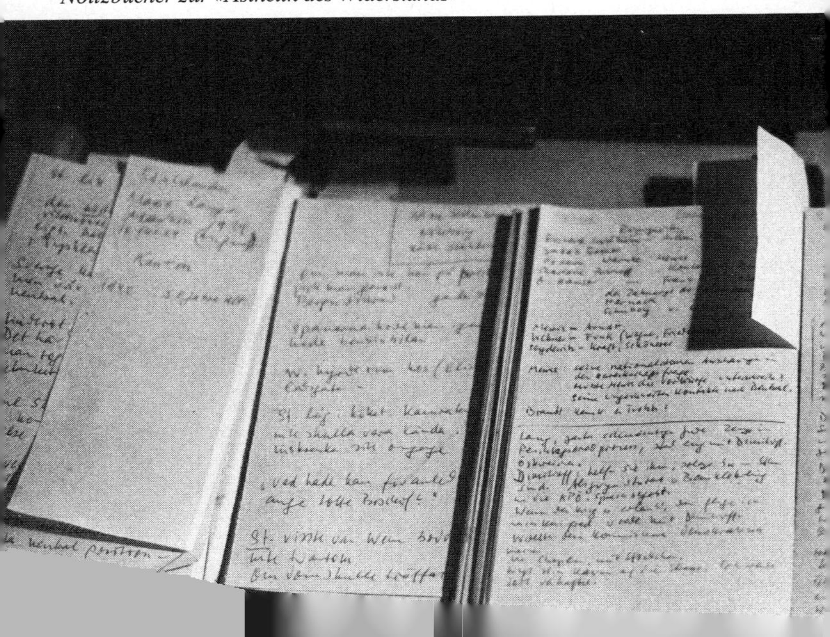

Rede. So 1971, ganz zu Beginn jener Arbeitszeit und mit ungewohntem Überschwang, von der Geburt der Tochter Nadja, deren Name die Eltern an zwanzig Jahre zurückliegende Diskussionen über das gleichnamige Buch des Surrealisten Breton erinnert: *Weinend vor Freude in der Wartehalle des Sabbatsbergs-Krankenhauses: wunderschönes schwarzhaariges Mädchen, die schönsten Händchen –... Wahnsinnig glücklich – kann nicht genug von ihr sehn – diese kleinen Hände u Fingernägel, diese kleine zornige Grimasse – dieses kleine Gähnen – der glücklichste Tag meines Lebens – Das Wunder: dies zu erleben – was ich nie zuvor erlebt habe – 17/11.*[409] Daneben deuten zurückhaltende Eintragungen über Arbeitskrisen, Krankheitszustände und Klinikaufenthalte (so 1978, gleich nach Abschluß des zweiten Bandes), aber etwa auch über eine schwere Augenoperation Gunillas die persönlichen Belastungen und Anspannungen an, denen das Prosawerk abgerungen werden mußte. Von den – nur scheinbar banalen – Sorgen um die Beibehaltung der Wohnung, Storgatan 18, ist die Rede, wo man seit 1963 wohnte, vom erzwungenen Umzug und, gehäuft in der letzten Arbeitsphase, von *Todesgedanken; fast ununterbrochen Todesvorstellungen*[410].

Neben dem großen Romanwerk sind aus diesem Jahrzehnt nur zwei eng aufeinander bezogene dramatische «Nebenarbeiten» zu erwähnen. Von Ingmar Bergman kam im Februar 1974 die *Anregung: Kafkas Prozeß zu dramatisieren*; Weiss machte sich an diese *Zwischenarbeit*, die ja nicht ohne Bezug zur Thematik des eben abgeschlossenen ersten Romanbandes ist. Nach wenigen Wochen gibt er das Projekt auf, wegen der Unmöglichkeit, *eine total subjektive Welt* in die Objektivität des Bühnengeschehens zu transformieren. Nach der Absage an Bergman, der das Stück selbst inszenieren wollte, *drängt... sich der Stoff wieder auf*[411]. Es entsteht schließlich eine *so nah wie möglich an den Originaltext*[412] angelehnte, ihn nur historisch präzisierende Bühnenversion. Der «Prozeß», in dem Josef K. gefangen ist, erscheint als die Fesselung durch sein kleinbürgerliches Bewußtsein und Verhalten. Bergman lehnt das Stück ab, er vermißt ein «kühnes Experiment», eine «persönliche Deutung».[413] Im folgenden Jahr wird *Der Prozeß* in Bremen aufgeführt – und erfährt rundum Ablehnung. Weiss' «konsequente, aber sehr enge Interpretation»[414], die Reduktion von Kafkas Vieldeutigkeiten auf einen klassentheoretischen Determinismus, fand Mitte der siebziger Jahre kaum noch Beifall – und bleibt übrigens auch weit hinter der Mehrschichtigkeit der entsprechenden Romanpartien zurück.

Wichtig ist diese Arbeit letztlich nur für die Werkbiographie des Autors, als Zeugnis seiner lebenslangen «produktiven Kafka-Rezeption»[415] – und als Dokument seiner Neigung zur mehrfach-kontrafaktischen Bearbeitung des gleichen Themas. Dies gilt in Hinsicht auf den *Neuen Prozeß*, ein Stück, das Weiss 1982 in wenigen Wochen, gleich nach Abschluß der *Ästhetik des Widerstands* schrieb, *um aus der Gebundenheit*

«Der neue Prozeß», Uraufführung in Stockholm, März 1982.
Regie: Gunilla und Peter Weiss; ganz links Tochter Nadja

des großen epischen Stoffes loszukommen und in eine andere Form hereinzukommen[416]. Dieser *Neue Prozeß* mag dem Stück ähnlicher sehen, das Bergman erhoffte: eine sehr freie, ja eigenwillige Aktualisierung von Kafkas erzählerischer Grundkonstellation. Josef K. ist nun, in der Gegenwart multinationaler Konzerne, politischer Macht- und Überwachungsapparate, der Intellektuelle, dessen naiver Humanismus in und an der Realität scheitert, den seine von anderen manipulierte Karriere in den Untergang führt. In einer von Peter Weiss und Gunilla Palmstierna-Weiss verantworteten Inszenierung war das Stück, im März 1982, am Dramatiska Teatern in Stockholm ein bemerkenswerter Erfolg; in der Bundesrepublik wurde es nur vereinzelt und ohne vergleichbares Echo nachgespielt.

Erst der Abschluß der *Ästhetik des Widerstands* und die zunehmende Resonanz, die sie gewinnt, rücken den Autor, der nach den umstrittenen Theaterstücken der späten sechziger Jahre einen «vorläufigen Sturz in die relative Anonymität»[417] zu ertragen hatte, wieder ins Blickfeld. Gleichsam rückwirkend lenkt nun die thematische Bedeutung der bildenden Kunst im Romanwerk das öffentliche Interesse auch auf den Maler und

Filmkünstler Weiss. Für die Bundesrepublik gibt vor allem die Ausstellung «Der Maler Peter Weiss», die Peter Spielmann 1980 im Museum Bochum zeigte, wichtige Impulse; der dabei vorgelegte Katalog enthält neben der Dokumentation des bildnerischen Werks auch biographisches Material in bisher nicht gekannter Genauigkeit. 1981 und 1982, etwa gleichzeitig mit dem dritten Teil des Romans, erscheinen dann auch insgesamt vier Bände *Notizbücher*, die den Zeitraum von 1960 bis 1980, also fast die gesamte Schaffenszeit des arrivierten Autors begleiten. Dabei machen sie nicht nur, als Stoffsammlung, Quellenverzeichnis und Werkkommentar, den Arbeitsprozeß selbst genauer faßbar, sie eröffnen, bei aller abkürzenden Diskretion, die persönlichen Dimensionen dieser Arbeitsexistenz. Christoph Meckel, der Maler- und Schriftstellerkollege, hat dies Journal in einer Preisrede des Jahres 1982 in seiner mehrfachen Funktion gerühmt als ein «Arbeitsbuch... in dem der Autor zur Sache das Sachlichste sagt, und an Erkenntnis das meiste überbietet, das heute und hier dazu gesagt werden kann; [das] zum Bestandteil des Werkes wurde, [das] Logbuch des Ideologen ist, Werkstatt des homo faber und Zeughaus der Stoffe, Rechenschaftsbericht und Weißbuch der Kämpfe, Tagebuch langer Recherchen und offenes Bekenntnis, ein Dokument von Courage und Integrität; [in dem] die Privatheit des Autors erscheint, so dezent wie bestimmt, ein glaubhaftes Selbstbild des Menschen...»[418].

Schließlich bleiben, zumal nach dem Abschluß der *Ästhetik des Widerstands*, auch öffentliche Anerkennung und offizielle Ehrungen nicht aus. Dabei erweist sich das Verhältnis zum Gastland Schweden, das nun doch mehr als eine *Durchgangsstation* geworden ist, als wenig problematisch. Schon in den sechziger Jahren erhält Weiss verschiedene Auszeichnungen, unter anderen die vom Ministerpräsidenten Olof Palme begründete «Konstnärsgarantin», eine Art von Arbeitsstipendium auf Lebenszeit, das an insgesamt 150 Künstler vergeben wird. Auch die Nominierung für den Literaturnobelpreis von 1981, den dann Elias Canetti zugesprochen erhielt, dürfte auf schwedische Initiative zurückgehen. Den «De Nios Pris», in Schweden als «kleiner Nobelpreis» bezeichnet, erhielt Weiss am Tag vor seinem Tode.

Schwieriger war und blieb das Verhältnis zu den deutschen Staaten. In den *Notizbüchern*, die ohnehin kaum von den großen Erfolgen, ausgiebig aber und manchmal selbstquälerisch von den *Niederlagen* sprechen, interpretiert Weiss auch die offiziellen Ehrungen als Indikatoren des doppelten Spannungsverhältnisses zum Kulturbetrieb der Bundesrepublik wie zur Literaturpolitik der DDR, in das er mit seinen Arbeiten geraten war. Schon 1966 hatte der Autor der *Ermittlung* ja den DDR-offiziellen Heinrich-Mann-Preis «für seine hervorragenden literarischen Leistungen im Dienste des Kampfes gegen faschistische und neofaschistische Barbarei»[419] erhalten. Fünf Jahre später notiert er: *Nach den 10 Arbeitspunkten konnte ich den Büchner-Preis nicht mehr erhalten – Nach dem Heinrich-*

Mann-Preis wurde ich – wegen des *Trotzki*-Stückes – *von der Akademie der DDR als nicht mehr erwünscht erklärt.*[420] Zu diesem Zeitpunkt, 1971, hatten freilich schon Gespräche stattgefunden, die eine Wiederaufnahme der Arbeitsbeziehungen in die DDR, die nach dem *Trotzki*-Stück abgebrochen waren, vorbereiten sollten. Als die führenden Kulturfunktionäre Abusch und Hager die Rostocker Premiere des *Hölderlin* besuchen, kann Weiss, wie er lakonisch notiert, seine *Wiederaufnahme offiziell bestätigt* sehen. Ganze zehn Tage später, im Juni 1973, ergibt sich Gelegenheit, das kaum weniger problematische Verhältnis zum westdeutschen Literaturbetrieb zu beleuchten: *Wieder ist es ihnen geglückt, mich beim Büchnerpreis zu umgehn. Diesmal ist er an Handke vergeben worden. Nun haben die meisten von denen, die von mir gelernt haben, den Preis bekommen, und mir wird er, aus eindeutig politischen Gründen, vorenthalten.*[421]

Ironisch genug muß es hiernach erscheinen, daß Weiss zunächst, 1978, unter der Schirmherrschaft des Ministers für Innerdeutsche Beziehungen, den Thomas-Dehler-Preis für *literarische Arbeiten «gesamtdeutschen Inhalts»* zugesprochen bekommt. Mit dem Vorsatz, Preise wie diesen als *Gehaltszulagen für unregelmäßig und im allgemeinen schlecht bezahlte Kulturarbeiter*[422] zu akzeptieren, vermag er sich auf Dauer nicht zu beschwichtigen. Ein halbes Jahr lang durchziehen zweiflerische Überlegungen die *Notizbücher*, immer wieder unterbrochen vom *Impuls zur Ablehnung. Dies wäre das Einfachste gewesen.* Statt dessen nimmt Weiss, im Bewußtsein fortdauernder Unzugehörigkeit, die dubiose Auszeichnung zum Anlaß neuer Selbsterkundungen. *Dieses Land hat mich die Dialektik gelehrt. Alles was mich mit Deutschland verbindet, steht unterm Zeichen des Antagonismus. Mit dem Begriff Innerdeutsche Beziehungen weiß ich wenig anzufangen.*[423] In einer kurzen Danksagung meldet er sich schließlich als einer zu Wort, *der in diesem Lande kein staatliches Lehramt ausüben dürfte und dem dennoch ein staatlicher Preis verliehen wird.* Er warnt: *Nie darf das Handwerk des Schreibens als ein Privilegium angesehen werden. Solange ein Schriftsteller, dessen literarische Tätigkeit vom politischen Leben untrennbar ist, belohnt wird, während andere, die seine historische, soziale und ökonomische Auffassung teilen, dafür bestraft werden, erhält er nur die Bestätigung seiner Machtlosigkeit.*[424]

Im Jahre 1981, als die drei Bände der *Ästhetik des Widerstands* vorliegen, erhält Weiss den Kritikerpreis des Südwestfunk-Literaturmagazins, dann den Literaturpreis der Stadt Köln; der Germanist und Kritiker Hans Mayer, seit den sechziger Jahren ein Fürsprecher der Autors, verschweigt in seiner Laudatio nicht, daß er sich als Leser diesem Werk «lange versagt»[425] habe. Christoph Meckel hingegen, der jüngere Kollege, weiß es ein Jahr später, als Weiss, *ein verlorener Sohn dieser Stadt*, den Bremer Literaturpreis entgegennimmt, emphatisch zu rühmen: «Das Buch ist ein Gegenstand der Weltliteratur. Es hat alle Zeit, alle Fragen und alle Zweifel für sich.»[426]

Mit Gunilla Palmstierna-Weiss, 1982

Eine letzte tragische Ironie blieb dem Preisträger Weiss nicht erspart. Seine Frau Gunilla deutet sie rückerinnernd an: «Peters Einstellung zu Literaturpreisen, vor allem aber zum Büchner-Preis, war kompliziert. Noch kurz vor seinem Tod haben wir hierüber gesprochen. Einen Preis zu bekommen, wenn man jung ist, noch bevor man bekannt ist, das ist einfach. Es bedeutet Bestätigung, Anerkennung, Herausforderung und eine Aufforderung weiterzumachen! Als Peter – vor bald einem Vierteljahrhundert – den Charles-Veillon-Preis in Lausanne empfing, war das ganz unproblematisch. Ohne Geld fuhren wir hin, Peter nahm den Preis entgegen, auf dem Rückweg fuhren wir nach Paris, dort wurde das Geld schnell kleingemacht, und genauso arm wie vorher kamen wir wieder nach Hause. Übermut wie dieser verschwindet. Die Forderungen, die man an sich selbst stellt, werden größer. Ein Büchner-Preis, der spät verliehen wird, vielleicht zu spät, kann betroffen machen, ja Angst auslösen. Man kann wohl nicht darüber hinwegsehen, daß auch politische Gründe eine Rolle gespielt haben, warum man ihm so spät erst diese Auszeichnung zusprach.»[427]

Das sind Worte aus der Dankrede von Gunilla Palmstierna-Weiss bei der Entgegennahme des Preises in Darmstadt im Jahr 1982. In der Öffentlichkeit war die Nachricht von der Auszeichnung durch die Deutsche Akademie für Sprache und Dichtung erst nach der Meldung bekannt geworden, daß Peter Weiss am 10. Mai dieses Jahres, infolge einer Kreislaufschwäche, in Stockholm gestorben war. Man ehrte einen Unzugehörigen.

In den letzten Monaten seines Lebens hatte Weiss, zweifellos ermuntert durch die breite Resonanz der *Ästhetik des Widerstands* und die Aussicht auf neue und produktive Arbeits- und Diskussionszusammenhänge, wieder einmal an eine Umsiedlung nach West-Berlin gedacht. Jahre zuvor, im Juli 1969, hatte er freilich schon notiert: *Die wilden Reisen, die ich immer wieder unternehme, sie sind weiterhin Ausdruck der Emigration... Für mich ist Reisen Fortsetzen der Auswanderung, mit der Hoffnung auf ein Neubeginnen. In Berlin, in New York, London, Havanna, in Paris, Italien, Südfrankreich habe ich Wohnmöglichkeiten erwogen, mich nach Häusern umgesehen, die ich mieten könnte. Bin wieder abgereist und zurückgekehrt zu meinem Provisorium Stockholm. Ich sage zwar, ich könnte überall zuhause sein, doch es stimmt nicht. Ich bin es nirgendwo.*[428]

Anmerkungen

Es werden die folgenden Siglen verwendet:

A	Abschied von den Eltern (1978)
Ä 1,2,3	Die Ästhetik des Widerstands, Band 1, 2, 3 (1975, 1978, 1981)
B	Die Besiegten (1985)
F	Fluchtpunkt (1969)
NB 60	Notizbücher 1960–1971
NB 71	Notizbücher 1971–1980
R 1, 2	Rapporte, Band 1, 2
St I	Stücke I
St II, 1,2	Stücke II, Teilband 1,2
Sch	Der Schatten des Körpers des Kutschers (1978)
Roos	Der Kampf um meine Existenz als Maler. Peter Weiss im Gespräch mit Peter Roos. Unter Mitarbeit von Sepp Hiekisch und Peter Spielmann. In: Der Maler Peter Weiss. Berlin 1981. S. 11–43

Zitate aus der Sekundärliteratur werden mit dem Verfasser- bzw. Herausgebernamen und, sofern nötig, einem Kurztitel nachgewiesen. Ausführliche Angaben finden sich in der Bibliographie.

1 Roos, S. 11
2 R 2, S. 10f
3 R 1, S. 114
4 Kässens/Töteberg, S. 224
5 R 1, S. 114
6 Kässens/Töteberg, S. 227
7 Roos, S. 11
8 A, S. 7
9 NB 60, S. 832f
10 A, S. 4
11 Lüttmann, S. 116
12 A, S. 7
13 A, S. 16–19
14 A, S. 48
15 Das folgende nach Auskunft von Frau Irene Eklund, geb. Weiss
16 F, S. 31
17 Vgl. Heinrich Huesmann: Welt Theater Reinhardt. Bauten, Spielstätten, Inszenierungen. München 1983. Nr. 742.
18 Vgl. F, S. 31. Vgl. auch Lotte H. Eisner: Murnau, Frankfurt a. M. 1979. S. 41
19 Roos, S. 12
20 A, S. 37f
21 A, S. 87f
22 Roos, S. 15
23 A, S. 9
24 A, S. 88f
25 A, S. 37, 16
26 NB 60, S. 831
27 A, S. 21f
28 Vgl. Peter de Mendelssohn: Der Zauberer. Das Leben des deutschen Schriftstellers Thomas Mann. Erster Teil 1875–1918. Frankfurt a. M. 1975, S. 312
29 A, S. 29f
30 Roos, S. 13
31 Vgl. Krause, S. 580
32 A, S. 33f
33 A, S. 61f; vgl. die Präzisierungen bei Richter, S. 185f
34 A, S. 62, 66
35 A, S. 52f
36 Roos, S. 14f
37 A, S. 72f
38 Roos, S. 18
39 NB 60, S. 833
40 A, S. 81, 78
41 In: Der Maler Peter Weiss, S. 105
42 A, S. 77
43 Roos, S. 21f
44 A, S. 104f
45 Roos, S. 21
46 Spielmann, in: Der Maler Peter Weiss, S. 66
47 Roos, S. 22
48 A, S. 110, 112
49 Roos, S. 23f
50 A, S. 118f
51 Vgl. Hermann Hesse: Der Steppenwolf. In: Hesse, Gesammelte Schriften. Vierter Band. Frankfurt a. M. 1968. S. 357, 374
52 A, S. 119
53 In: Gerlach, S. 38f
54 Vgl. Hesse: Gesammelte Briefe, S. 53f – Weitere Briefe an Weiss S. 67f, 115f, 238
55 Roos, S. 26
56 A, S. 120
57 In: Gerlach, S. 40
58 Roos, S. 26
59 Gerlach, S. 147f
60 In: Der Maler Peter Weiss, S. 125f
61 In: Gerlach, S. 149
62 Der Maler Peter Weiss, S. 127
63 In: Gerlach, S. 42, vgl. S. 150
64 In: Gerlach, S. 151
65 Gerlach, S. 153
66 In: Der Maler Peter Weiss, S. 51–61
67 Gerlach, S. 153
68 Roos, S. 27f
69 In: Stephan, S. 342f
70 Roos, S. 28
71 Spielmann, in: Der Maler Peter Weiss, S. 66
72 Roos, S. 29f
73 Vgl. Hesse, Kindheit des Zauberers, Nachbemerkung, S. 123
74 Roos, S. 30f
75 Roos, S. 32, 34
76 Roos, S. 33
77 NB 60, S. 59
78 Roos, S. 33f
79 F, S. 7 und Klappentext
80 NB 60, S. 809
81 Vgl. Müssener, Exil, S. 196f
82 NB 71, S. 51
83 Roos, S. 34

84 In: Gerlach, S. 103
85 Müssener, Exil, S. 205
86 Roos, S. 34
87 NB 71, S. 505
88 Müssener, Exil, S. 296f
89 Roos, S. 37
90 NB 71, S. 477
91 NB 60, S. 854
92 Roos, S. 36f
93 Roos, S. 38
94 B, Nachwort, S. 153f
95 Vgl. die Hinweise in den Rezensionen von Rector und Goetze
96 B, S. 143
97 B, S. 147
98 B, S. 128f
99 B, S. 149
100 St I, S. 259; zu Kogon vgl. Krause, S. 195ff, 396 u. ö.
101 B, S. 12f
102 B, S. 35f
103 B, S. 62f
104 B, S. 120; zum Schlüsselbegriff Tortur vgl. Bohrer, in: Gerlach, S. 182f
105 B, S. 93
106 F, S. 25
107 B, S. 120f
108 In: Braun/Canaris, S. 99
109 Suhrkamp, S. 56f
110 D, Vorbemerkung, S. 7
111 Suhrkamp, S. 57
112 Schriftliche Mitteilung von Gunilla Palmstierna-Weiss, 1986
113 Mündliche Mitteilung von Jan Christer Bengtsson, 1985
114 Vgl. R 1, S. 177f
115 R 1, S. 54
116 Karnick, in: Gerlach, S. 209
117 St I, S. 33
118 D, Vorbemerkung, S. 7
119 Pietzcker, S. 219
120 Vgl. F, S. 48
121 Pietzcker, S. 216, 213
122 Pietzcker, S. 209, 229
123 Roos, S. 38f
124 F, S. 50, 52f
125 Roos, S. 40
126 Roos, S. 39
127 R 1, S. 20f
128 Vgl. Bengtsson, Peter Weiss über Film, S. 2 und A, S. 10
129 R 1, S. 7
130 R 1, S. 16f
131 Avantgardefilm, S. 7
132 Vgl. Avantgardefilm, S. 141f
133 R 1, S. 17
134 Vgl. auch den «Laokoon»-Aufsatz von 1965, in: R 1, S. 170f
135 Zit. nach Bengtsson, Filmemacher, S. 5
136 In: Biografbladet, Nr. 3/1947, S. 188, 185 (deutsch von Jan Christer Bengtsson)
137 Palmstierna-Weiss, Dankrede, S. 25
138 Fischer-Defoy, Gespräch mit Gunilla Palmstierna-Weiss
139 Bengtsson, Filmemacher, S. 5
140 NB 60, S. 9
141 NB 60, S. 32
142 Mitteilung von Jan Christer Bengtsson, 1986
143 Bengtsson, Filmemacher, S. 7
144 In: Gerlach, S. 121
145 Ä 1, S. 7
146 NB 71, S. 666
147 NB 71, S. 665
148 In: Gerlach, S. 125
149 Bengtsson, Vernichtungsinstitutionen, S. 24f, 31
150 In: Expressen, 7.3.1958. Zit. nach Bengtsson, Vernichtungsinstitutionen, S. 33f
151 Bengtsson, Vernichtungsinstitutionen, S. 35
152 Vgl. Avantgardefilm, S. 69
153 Neben Gunilla Palmstierna und dem Maler Öyvind Fahlström wären zu nennen: Pontus Hultén (später Leiter des Centre Pompidou-Musée Beaubourg), Anna Lena Wibom (Leiterin der schwedischen Cinematek), Carlo Derkert (Intendant des Nationalmuseums) – Hinweis von Gunilla Palmstierna-Weiss
154 R 1, S. 177
155 D, Vorbemerkung, S. 7
156 B, Nachwort, S. 157
157 Ein Ausschnitt war schon 1959 in Höllerers und Hans Benders Zeitschrift «Akzente» erschienen (6. Jg., S. 228f)
158 Enzensberger, Fluchtpunkt, S. 116
159 Sch, S. 8
160 Vgl. F, S. 85
161 Sch, S. 7f
162 Vormweg, Wörter, S. 31
163 Sch, S. 47f
164 Vormweg, Wörter, S. 31
165 Vgl. Vormweg, Peter Weiss, S. 41f
166 Lüttmann, S. 112
167 Handkes ambivalente Haltung zu Weiss wird deutlich in: Peter Handke: Die Literatur ist romantisch. In: Handke, Prosa Gedichte Theaterstücke Hörspiel Aufsätze. Frankfurt a. M. 1969. S. 273f
168 Kurt Batt: Revolte intern. Betrachtungen zur Literatur der Bundesrepublik. München 1975. S. 13, 124
169 Vormweg, Peter Weiss, S. 41
170 Best, S. 53
171 Vgl. F, S. 47
172 Sch, S. 99
173 Lüttmann, Anmerkungen S. 16, Nr. 74
174 Hesse, Briefe, S. 537
175 Enzensberger, Fluchtpunkt, S. 116
176 Neumann, S. 25
177 Neumann, S. 29f
178 A, S. 146, 144
179 A, S. 146
180 Bohrer, in: Gerlach, S. 190
181 NB 60, S. 42, 34
182 NB 60, S. 54, 70f
183 NB 60, S. 55
184 F, S. 7, 197
185 F, 24f
186 Lüttmann, Anmerkungen S. 16, Nr. 66
187 Bohrer, in: Gerlach, S. 191
188 A, S. 143; F, S. 13
189 F, S. 65
190 F, S. 59f
191 In: Gerlach, S. 191
192 Krause, S. 218
193 A, S. 134; F, S. 58. Peter Kien wird erwähnt in: H. G. Adler, Theresienstadt 1941–1945. Das Antlitz einer Zwangsgemeinschaft. 2. Aufl. Tübingen 1960. S. 615f
194 F, S. 135f
195 F, S. 13
196 F, S. 137f
197 F, S. 56f
198 F, S. 163f
199 F, S. 196
200 F, S. 192f
201 F, S. 196f
202 NB 60, S. 40
203 Bergengruen, S. 211
204 F, S. 194f
205 Grimm, S. 234f
206 Vgl. Auschwitz. Zeugnisse und Berichte. Hg. von H. G. Adler u. a. Frankfurt a. M. 1962. S. 392. Vgl. auch Grimm, S. 236 A, 10
207 Luft, in: Die Welt, 2. Mai 1964; Rischbieter, in: Theater heute, H. 6/1964; Niehoff, in: Süddeutsche Zeitung, 2. Mai 1964
208 Vgl. Haiduk, S. 304f
209 NB 60, S. 115
210 In: Braun, S. 93
211 NB 60, S. 110
212 Vgl. dazu Haiduk, S. 35f
213 NB 60, S. 197–230
214 In: Braun, S. 92f
215 Berghahn, in: Beckermann/Canaris, S. 176

216 In: Braun, S. 93
217 Maurer, S. 361 f
218 Vgl. Karnick, in: Gerlach, S. 208 f
219 In: Braun, S. 93
220 St I, S. 461
221 St I, S. 195
222 Haiduk, S. 79. Vgl. Schneider (in: Braun, S. 125 f) und Nägele
223 In: Braun, S. 94
224 In: Braun, S. 99
225 Sontag, S. 168, 170, 175
226 St I, S. 157
227 Haiduk, S. 116
228 St I, S. 156
229 Nr. 19/1964, S. 113
230 In: Die Welt, 2. Mai 1964
231 Klotz, in: Spandauer Volksblatt, 1. Mai 1964
232 Jacobi, in: Canaris, S. 63
233 Strukturwandel der Gesellschaft. Untersuchungen zu einer Kategorie der bürgerlichen Gesellschaft. Neuwied u. Berlin 1962
234 St I, 168
235 Habermas, in: Canaris, S. 65 f
236 NB 60, S. 228 f
237 NB 60, S. 237
238 R 1, S. 176–181
239 R 1, S. 187 f
240 R 1, S. 142
241 R 1, S. 114
242 NB 60, S. 306
243 R 1, S. 124
244 NB 60, S. 291
245 Girnus/Mittenzwei, S. 687 f
246 St I, S. 257
247 St I, S. 259
248 Vgl. Bernd Naumann: Auschwitz. Bericht über die Strafsache gegen Mulka und andere vor dem Schwurgericht Frankfurt. Frankfurt a. M. 1965; Peter Weiss: Frankfurter Auszüge. In: Kursbuch 1 (1965), S. 152–188
249 St I, S. 259
250 St I, S. 448
251 In: Süddeutsche Zeitung, 4. September 1965
252 Geiger, S. 148
253 In: Sũdddeutsche Zeitung, 4. September 1965
254 In: Die andere Zeitung, 5. Oktober 1965
255 In: Die Weltwoche, 20. Oktober 1965
256 St I, S. 263
257 St I, S. 347
258 St I, S. 352
259 Vgl. Der Spiegel, Nr. 44/1965, S. 152
260 Zehm, in: Die Welt, 25. Oktober 1965; Sander, in: Die Welt, 18. September 1965
261 In: Der Spiegel, Nr. 43/1965, S. 155
262 Vgl. Krause, S. 429 f
263 Vgl. Reinhard Kühnl (Hg.): Texte zur Faschismusdiskussion I. Reinbek 1974. S. 58
264 In: Neue Rundschau, H. 1/1966, S. 167
265 St I, S. 335
266 Vgl. Krause, S. 441 f, 438 f
267 NB 60, S. 234, 246
268 Vgl. auch Fischer, S. 89 f
269 NB 60, S. 389
270 R 2, S. 15
271 R 2, S. 20, 22
272 Vgl. Jäger, S. 27
273 R 2, S. 22, 17
274 Vgl. anon., Der «Fall» Peter Weiss, S. 95 f, Wilhelm Girnus: Ein Brief an Peter Weiss, in: Neues Deutschland, 23. Dezember 1965; Weiss' Entgegnung in: R 2, S. 24 f; Jäger, S. 27 f, S. 34 f
275 Jäger, S. 29
276 Plavius, S. 159 f
277 R 2, S. 15
278 In: Canaris, S. 14
279 R 2, S. 44
280 R 2, S. 80
281 F, S. 196 f
282 Fischer, S. 77
283 Vgl. Notizbucheintragungen vom 1. 1. 63, 10. u. 21. 5. 70, 25. 5., 13. 7. u. 18. 9. 78.
284 Europäische Peripherie, S. 154 f
285 Peter Weiss und andere, S. 175 f
286 R 2, 44
287 Jens, in: Die Zeit, 29. März 1968
288 Klotz, in: Frankfurter Rundschau, 9. Oktober 1967
289 St II, 1, S. 8, 70
290 R 2, S. 97 f
291 Vgl. Haiduk, S. 171 f
292 Vgl. Schumacher, S. 930
293 NB 60, S. 308
294 NB 60, S. 402, 399
295 Vgl. Bertrand Russell/Jean-Paul Sartre: Das Vietnam-Tribunal II oder die Verurteilung Amerikas. Reinbek 1969; Weiss: S. 57 f
296 Vgl. Werkverzeichnis
297 Vgl. NB 60, S. 601 f
298 Vormweg, Peter Weiss, S. 104
299 Vormweg, Peter Weiss, S. 105
300 St II, 1, S. 73
301 Vormweg, Peter Weiss, S. 105
302 Kaiser, in: Süddeutsche Zeitung, 22. März 1968; Jens, in: Die Zeit, 29. März 1968
303 Schäble, in: Stuttgarter Zeitung, 22. Januar 1970
304 R 2, S. 105–108
305 R 2, S. 116
306 R 2, S. 131
307 Rumler, in: Der Spiegel, Nr. 5/1970, S. 134
308 Nagel, in: Süddeutsche Zeitung, 22. Januar 1970; Schäble, in: Stuttgarter Zeitung, 22. Januar 1970
309 Schulze-Reimpell, in: Die Welt, 22. Januar 1970
310 In: Beckermann / Canaris, S. 143
311 NB 60, S. 655
312 In: Canaris, S. 139
313 NB 60, S. 656
314 NB 60, S. 687 f, 696, 702, 719, 734
315 NB 60, S. 773
316 In: Beckermann/Canaris, S. 143
317 NB 60, S. 723
318 Vgl. Pierre Bertaux: Hölderlin und die Französische Revolution. Frankfurt a. M. 1969
319 Bertaux, in: Beckermann/Canaris, S. 81
320 In: Beckermann / Canaris, S. 142
321 St II, 2, S. 307, 316
322 St II, 2, S. 416
323 St II, 2, S. 355, 359, 360
324 St II, 2, S. 379
325 St II, 2, S. 359
326 St II, 2, S. 370
327 R 2, S. 84, 87
328 Römer, S. 114 f
329 Schreiber, in: Beckermann/Canaris, S. 191
330 St II, 2, S. 382 – Peter Weiss war mit der Familie Autenrieth verwandt und hatte als Kind einen Erholungsaufenthalt in Tübingen verbracht. Vgl. Roos, S. 2: «... damals wurde ich mit der ganzen Hölderlin-Frage zum ersten Mal bekannt.»
331 St II, 2, S. 393
332 Vgl. z. B. Hans Schadewaldt: Hölderlin – gesanglos und kalt. Des Dichters Umnachtung aus medizinischer Sicht, in: Stuttgarter Zeitung, 23. September 1971
333 Warum verkroch sich Hölderlin im Turm? In: Der Spiegel, Nr. 38/1971, S. 165
334 St II, 2, S. 408

335 St II, 2, S. 410
336 St II, 2, S. 415
337 Canaris, in: Theater heute, H. 11/1971
338 Herchenröder, in: Handelsblatt, 14. September 1971
339 In: Beckermann/Canaris, S. 127, 129
340 In: Der Spiegel, Nr. 38/1971, S. 165
341 NB 71, S. 40
342 R 1, S. 149, 168
343 NB 71, S. 85
344 NB 71, S. 41, 926
345 Vgl. etwa Abendroth und Haug, in: Goetze/Scherpe, S. 21, 25
346 NB 71, S. 72, 51
347 Andersch, S. 150
348 NB 71, S. 50f
349 F, S. 25
350 NB 71, S. 51
351 NB, S. 319
352 Andersch, S. 150
353 NB 71, S. 163
354 Abendroth, in: Götze/Scherpe, S. 18, 21
355 Das Roman-Ich ist freilich nicht wie der Autor am 8. 11. 1916, sondern, historisch-symbolisch, am 8. 11. 1917 geboren. Vgl. Ä 1, S. 252; Claßen/Vogt, in: Stephan, S. 153f
356 Bertolt Brecht: An die Nachgeborenen. In: Brecht, Gesammelte Werke 9, Frankfurt a. M. 1967, S. 725
357 In: Kässens/Töteberg, S. 223
358 Ä 1, S. 12
359 Ä 1, S. 43
360 Ä 1, S. 12, 14
361 Ä 1, S. 7f, 10
362 Ä 1, S. 43
363 Ä 1, S. 41
364 Lodemann, S. 14
365 Ä 1, S. 53
366 Ä 1, S. 11
367 Ä 3, S. 267f
368 Ä 1, S. 345
369 Ä 2, S. 13
370 Ä 1, S. 176
371 Ä 1, S. 179. Vgl. Walter Benjamin: Gespräche mit Brecht. In: Benjamin, Versuche über Brecht, 6. Aufl. Frankfurt a. M. 1981. S. 145f
372 Ä 1, S. 177
373 Vgl. Julian Gorkin: Der lange Arm Stalins. Die Vernichtung der freiheitlichen Linken im Spanischen Bürgerkrieg. Vorwort Willy Brandt. Köln 1980
374 Ä 3, S. 54. Vgl. dazu Herbert Wehner: Zeugnis. Köln 1982. S. 262
375 Ä 2, S. 177
376 Ä 3, S. 265
377 NB 71, S. 761
378 Vgl. Karl-Heinz Jahnke: Entscheidungen. Jugend im Widerstand 1933–1945. Frankfurt a. M. 1970. S. 69f, 185
379 Ä 3, S. 54
380 Ä 3, S. 211
381 Ä 3, S. 261, 265
382 Koeppen, S. 225
383 Vgl. dazu die Dokumentation: Paris 1935. Erster internationaler Schriftstellerkongreß zur Verteidigung der Kultur. Reden und Dokumente. Einleitung und Anhang von Wolfgang Klein. Berlin/DDR 1982
384 Ä 1, S. 332
385 Lodemann, S. 3
386 Zur Funktion der Redeformen und zum Stellenwert des «Indirekten» vgl. jetzt Schulz, S. 29f. Vorher schon Vogt, S. 73f
387 Lodemann, S. 20
388 Vgl. Brecht: Volkstümlichkeit und Realismus. In: Brecht, Gesammelte Werke 19, S. 326
389 Vgl. Claßen/Vogt, in: Stephan, S. 134f. Dagegen Schulz, S. 12, 126f u. ö.
390 Vgl. Anm. 388
391 Alfred Andersch: Winterspelt. Roman. Zürich 1977. S. 20
392 NB 71, S. 926, 177
393 Lodemann, S. 11
394 Lodemann, S. 14
395 NB 71, S. 227
396 Ueding, in: Frankfurter Allgemeine Zeitung, 9. Dezember 1978; Baumgart, in: Süddeutsche Zeitung, 25./26. Oktober 1975; Buch, in: Der Spiegel Nr. 47/1978, S. 258f. – Eine Übersicht über die Kritik gibt Lilienthal
397 Vgl. Text + Kritik, H. 37 (2. Aufl.); Götze/Scherpe; Stephan
398 NB 71, S. 707
399 Vgl. Mittenzwei, S. 3f
400 Weimann, in: Avantgarde – Arbeiterklasse – Erbe, S. 69
401 NB 71, S. 778, 760
402 In: Die Zeit, 10. Oktober 1975
403 Söllner, Kritik totalitärer Herrschaft, S. 179; ders., Peter Weiss' Ästhetik des Widerstands, S. 369f
404 Habermas, Die Moderne, S. 461f
405 NB 71, S. 368
406 Koeppen, S. 225
407 Metscher, in: Avantgarde – Arbeiterklasse – Erbe, S. 71
408 NB 71, S. 872
409 NB 71, S. 178; Mitteilung von Gunilla Palmstierna-Weiss, 1986
410 NB 71, S. 756, 896
411 NB 71, S. 255, 273f
412 St II, 2, S. 522
413 NB 71, S. 328
414 Rischbieter, in: Theater heute, H. 7/1975, S. 38
415 Vgl. Fingerhut: Produktive Rezeption, S. 250f
416 In: Sucher, Süddeutsche Zeitung, 27./28. März 1982
417 Vormweg, in: Gerlach, S. 302
418 Meckel, in: Frankfurter Rundschau, 13. Mai 1982
419 Girnus: (Laudatio), S. 8
420 NB 60, S. 852
421 NB 71, S. 220f
422 NB 71, S. 611
423 NB 71, S. 685f
424 NB 71, S. 711f
425 Mayer, in: Text + Kritik, H. 33, S. 14
426 In: Frankfurter Rundschau, 13. Mai 1982
427 Palmstierna-Weiss: Dankrede, S. 25
428 NB 60, S. 657f

Zeittafel

1916	Peter Ulrich Weiss am 8. November als erstes Kind von Eugen und Frieda Weiss, geb. Hummel, in Nowawes bei Berlin geboren
1918	Umzug nach Bremen; Volksschule und Gymnasium
1929	Umzug nach Berlin; Gymnasium und Handelsschule
1934	Emigration mit der Familie nach England
1936	Ausstellung eigener Gemälde in London; Übersiedlung nach Warnsdorf/ČSR
1937/38	Zwei Aufenthalte bei Hermann Hesse in der Schweiz; Studium der Malerei an der Kunstakademie Prag
1939	Emigration mit der Familie nach Alingsås/Schweden; Mitarbeit in der Textilfirma des Vaters
1940	Übersiedlung nach Stockholm; Malerei und Gelegenheitsarbeiten
1943/44	Heirat mit der Malerin Helga Henschen; Geburt der Tochter Randi Maria; bald darauf Scheidung
1946	Schwedische Staatsbürgerschaft
1947	Als Zeitungskorrespondent in Berlin; in der Folge Prosa und dramatische Versuche
1949	Heirat mit Carlota Dethorey; baldige Scheidung; Geburt des Sohnes Paul
1952–1961	Filmkritiker und Filmschaffender (Experimental- und Dokumentarfilme)
1952	Beginn der Lebensgemeinschaft mit der Künstlerin Gunilla Palmstierna
1960	*Der Schatten des Körpers des Kutschers* erscheint im Suhrkamp Verlag
1961	*Abschied von den Eltern*
1962	*Fluchtpunkt*; dafür im folgenden Jahr mit dem Charles-Veillon-Preis ausgezeichnet
1963	Heirat mit Gunilla Palmstierna
1964	Uraufführung in Berlin: *Die Verfolgung und Ermordung Jean Paul Marats dargestellt durch die Schauspielgruppe des Hospizes zu Charenton unter Anleitung des Herrn de Sade*; viele weitere Inszenierungen mit internationalem Erfolg
1965	Lessing-Preis der Stadt Hamburg; Preis des Stockholmer Kultursenats; *Die Ermittlung* in einer Simultanuraufführung an fünfzehn Bühnen in der Bundesrepublik, der DDR und England
1966	Heinrich-Mann-Preis der Deutschen Akademie der Künste, Berlin/DDR
1967	*Gesang vom Lusitanischen Popanz*, Uraufführung in Stockholm
1968	*Viet Nam Diskurs*, Uraufführung in Frankfurt a. M.
1970	*Trotzki im Exil* in Düsseldorf uraufgeführt; allgemein als Mißerfolg bewertet
1971	*Hölderlin*, Uraufführung in Stuttgart
1972	Geburt der Tochter Nadja
1975	*Die Ästhetik des Widerstands*, Erster Band, im Suhrkamp Verlag
1978	*Die Ästhetik des Widerstands*, Zweiter Band; Thomas-Dehler-Preis
1980	Ausstellung «Der Maler Peter Weiss» im Museum Bochum
1981	*Die Ästhetik des Widerstands*, Dritter Band; *Notizbücher 1971–1980*; Literaturpreis der Stadt Köln
1982	Bremer Literaturpreis; Georg-Büchner-Preis der Deutschen Akademie für Sprache und Dichtung, Darmstadt; *Notizbücher 1961–1970*; Uraufführung *Der neue Prozeß*; am 10. Mai in Stockholm gestorben
1983	*Die Ästhetik des Widerstands* im Henschelverlag (Berlin/DDR) erschienen
1985	*Die Besiegten* im Suhrkamp Verlag

Zeugnisse

Hermann Hesse
Begabung haben Sie ohne Zweifel, sowohl als Dichter wie als Zeichner. Ihre Zeichnungen scheinen mir schon reifer und selbständiger als das Geschriebene. Ich könnte mir denken, daß Sie als Zeichner rascher fertig werden und auch Anerkennung finden, denn als Dichter.

...Daß sich Ihre Dichtungen schon zur Veröffentlichung eignen, glaube ich kaum. Es ist viel Schönes und Versprechendes darin, aber es fehlt hier noch an Selbständigkeit, man fühlt die literarisch-romantische Atmosphäre stark, aber man fühlt auch die Vorbilder und Anregungen.

1937

Wolfgang Koeppen
Peter Weiss war eine Entdeckung, und sehr sprach er mich an. Ich halte ihn für einen bestimmenden Schriftsteller unserer Zeit. Was im *Schatten des Körpers des Kutschers* vielen unverständlich blieb und der Psychoanalyse überwiesen wurde, mir ein Text von hohem Rang war, fand seine Fortsetzung, manchmal Deutung in der Erzählung *Abschied von den Eltern*, 1961, und dem Roman *Fluchtpunkt*, 1962, Beiträge zu einer bürgerlichen Biographie aus dem Reservat eines wohlsituierten Hauses und dem Erlebnis der Vertreibung aus dieser falschen Schutzzone durch den Rasdünkel der Nationalsozialisten. Peter Weiss' erzählendes Ich engagierte sich im Widerstand. Er versuchte zu widerstehen dem Geborenwerden und seinen Folgen. Er widerstand, natürlich, dem Vertreiber und seinem System. Doch auch Widerstand gegen die Gejagten und ihre schwer verständliche Hinnahme der Ausstoßung. Weiss hatte sein Thema. Er verdrängte nicht, was ihn erzürnte.

1976

Werner Bergengruen
Ungeheuer ist im *Fluchtpunkt* die Intensität des Erlebens, bewunderungswürdig die Präzision und der Reichtum der Schilderung... Durch alles Beiwerk zieht sich die Suche nach der nackten Essenz des Daseins und nach den Geheimnissen des eigenen Schicksals. Aber unter den Händen des Autors – fast wäre ich versucht zu sagen: unter seiner linken Hand – erwächst zugleich ein großes Gleichnis menschlichen Daseins.

Einen solchen Mann in eine Schule oder Gruppe eingliedern zu wollen, ist schwer, schwerer als bei vielen seiner Gefährten und Altersgenossen; die Klassifizierungslust der Literaturgelehrten wird Mühe haben, sich an ihm zu sättigen.

1963

Reinhard Baumgart
Musical für Staatstheater.

1964, über «Marat/Sade»

Susan Sontag
Meine Bewunderung für und mein Vergnügen an *Marat/Sade* sind nahezu uneingeschränkt. Es scheint mir eines der ganz großen Theatererlebnisse, die einem im Leben geboten werden. Dennoch hat fast jeder, von den Rezensenten der Boulevardblätter bis zu den seriösesten Kritikern, ernsthafte Bedenken, wenn nicht gar eindeutige Abneigung dagegen zum Ausdruck gebracht. Warum?

1965

Hans-Dieter Sander
Man kann schon sagen: Die Überrumpelung ist perfekt. Ein prominenter Schriftsteller konvertiert zum Kommunismus. Seinen ersten Angriff auf den Westen trägt er in einem Stück vor, dessen Thema unantastbar ist... Wie immer man das Stück jetzt angreift, wie immer man sich mit der Konversion des Autors auseinandersetzt, der Osten wird spielend jede Polemik als neofaschistische Hetze auslegen können.

Die Welt, 1965, über «Die Ermittlung»

Wilhelm Girnus
Die Ermittlung ist ein großer künstlerischer Wurf, dem in der Geschichte der antifaschistischen deutschen Literatur für alle Zeiten ein fester Platz sicher ist.

1966

Alfred Kurella
Es zeigt sich, daß die guten und richtigen Einsichten nicht genügten, um Peter Weiss auf die Spuren der Wahrheit zu führen. Die Analyse des Textes zeigt, was ihn daran hindert. Mehr noch als die mangelnde Fakteninformation und die systematische Desinformation durch die westlichen Massenmedien waren es Klischeevorstellungen, die ihm den Blick verstellten.

Neues Deutschland, 1968, über Weiss' Erklärung zur sowjetischen Okkupation der ČSSR

Heinrich Böll
Peter Weiss' *Ästhetik des Widerstands*, ein hierzulande zu wenig beachtetes, fast vernachlässigtes Werk, das doch wahrscheinlich in bewußter Wendung gegen gewisse Tendenzen der Kunstfeindlichkeit (und mit Verständnis für diese) die wahre, die einzig notwendige «Tendenzwende» hätte einleiten können.

1977

Fritz J. Raddatz
Ich habe jede Zeile dieser insgesamt 955 Seiten gelesen, und ich habe nichts gegen Peter Weiss; ich habe alles gegen diesen gigantischen Prosairrtum, gegen die vertane Kraft und vergeudete (weil nicht eingesetzte) Phantasie eines großen Schriftstellers. Als unpolitisch, gar hochmütig habe ich bereits die ersten beiden Bände bezeichnet... – und als die vollkommen verspielte Chance, ein bedeutendes Thema sinnfällig zu machen, bietet sich mir dieser abschließende Band dar.

1981, über «Die Ästhetik des Widerstands»

Hans Mayer
Ein solches Buch ist mit keinem anderen zu vergleichen, das heute in unserer Sprache geschrieben wurde. Literaturkritik im Alltagssinn muß davor versagen... Seien wir froh, daß unser Freund, eigensinnig wie immer, die Arbeit zu Ende brachte. Sie erst hat sein bisheriges Werk sowohl abgerundet, wie nachträglich interpretiert.

1981

Rainer Gerlach
Peter Weiss war ein unglücklicher Mensch.

1984

Gunilla Palmstierna-Weiss
Ich weiß ganz sicher, daß er an diesen frühen und plötzlichen Tod nicht gedacht hat, trotz der in seinen Tagebüchern immer wiederkehrenden Todesmotive und der Angst vor Krankheit. Das waren Beschwörungen. Wir wissen doch, daß es oft Furcht und Ängste sind, die man sich wegschreibt. Das Positive, die Freude, ja Humorvolles, alles das ist für ihn und nicht nur für ihn selbstverständlich gewesen. Den Peter gab es auch! Mit Hunger nach allem und allen!

Eines Tages wird man vielleicht auch diese Seite seines Wesens beschreiben, in allen seinen Variationen, zusammenfügen, zum Bild eines Menschen.

1982

Bibliographie

Es liegen mehrere Werkverzeichnisse und neuere Bibliographien der Sekundärliteratur vor. Ich beschränke mich deshalb auf die wichtigsten Buchausgaben von Weiss' Werken. Aus der Sekundärliteratur führe ich neben Monographien und Sammelbänden nur Aufsätze und Kritiken an, die in meinem Text oder in den Zeugnissen zitiert sind.

1. Werkverzeichnisse, Bibliographien

HAIDUK, MANFRED: Peter-Weiss-Verzeichnisse (Werkverzeichnis, Schallplatten, Filmografie, Aufführungsliste). In: HAIDUK, Der Dramatiker Peter Weiss. Berlin/DDR 1977. S. 303–334

LITSCHKE, PEER-INGO: Der Schriftsteller Peter Weiss. Eine Bibliographie. In: VOLKER CANARIS (Hg.), Über Peter Weiss. Frankfurt a. M. 1970. S. 151–183 (Primär- u. Sekundärliteratur, Stand: 31. 12. 1969)

GERLACH, RAINER: Peter Weiss-Bibliografie. 1959–1981. In: Text + Kritik. H. 37: Peter Weiss. 2., völlig veränderte Aufl. 1982. S. 115–134 (Werkverzeichnis, Uraufführungen, Sekundärliteratur, Stand: Ende 1981)

GERLACH, RAINER: Peter Weiss. Werkverzeichnis (mit Theater)/Sekundärliteratur. In: Kritisches Lexikon zur deutschsprachigen Gegenwartsliteratur. 13. Nachlieferung. Seite A–T (Stand: 1. 1. 1983)

STEPHAN, ALEXANDER: Bibliographie. In: STEPHAN (Hg.), Die Ästhetik des Widerstands. Frankfurt a. M. 1983. S. 367–377 (Sekundärliteratur zur «Ästhetik des Widerstands», Stand: Anfang 1983)

GERLACH, RAINER: Bibliographie. In: GERLACH (Hg.), Peter Weiss. Frankfurt a. M. 1984. S. 331–349 (Werkverzeichnis, Uraufführungen, ausgewählte Sekundärliteratur, Stand: Ende 1983)

Werkverzeichnis. In: Der Maler Peter Weiss. Bilder. Zeichnungen, Collagen, Filme. Redaktion: PETER SPIELMANN. Museum Bochum 1980. 2. Aufl. Berlin 1981. S. 271–282 (Frühe Manuskripte, bildkünstlerische Arbeiten)

BENGTSSON, JAN CHRISTER: Filmografie Peter Weiss. Typoskript. Universität Stockholm, Institut für Theater- und Filmwissenschaft 1984. 20 S. (Hierauf basierend: SEPP HIEKISCH-PICARD: Filmographie. In: GERLACH (Hg.), Peter Weiss. Frankfurt a. M. 1984. S. 139–144.)

2. Werke

Från ö till ö. Stockholm (Bonnier) 1947. Deutsche Ausgabe: Von Insel zu Insel. Illustrationen vom Verfasser. Mit einem Vorwort von Gunilla Palmstierna-Weiss. Aus dem Schwedischen von Heiner Grimmler. Berlin (Frölich & Kaufmann) 1984

De Besegrade. Mit einer Illustration des Verfassers. Stockholm (Bonnier) 1948. Deutsche Ausgabe: Die Besiegten. Mit einem Anhang (Sechs Reportagen aus Deutschland) und einem Nachwort von Gunilla Palmstierna-Weiss. Aus dem Schwedischen von Beat Mazenauer. Frankfurt a. M. (Suhrkamp) 1985

Dokument I (Der Vogelfreie). Stockholm (Privatdruck) 1949 – Deutsche Ausgabe: Sinclair: Der Fremde. Erzählung. Frankfurt a. M. (Suhrkamp) 1980

Duellen. Stockholm (Privatdruck) 1953. Deutsche Ausgabe: Das Duell. Mit Federzeichnungen des Autors. Aus dem Schwedischen von J. C. Görsch in Zusammenarbeit mit dem Autor. Frankfurt a. M. (Suhrkamp) 1972

Avantgardefilm. Stockholm (Wahlström & Widstrand) 1956 (= Svensk Filmbibliotek 7)

Der Schatten des Körpers des Kutschers. Mikro-Roman. Mit sieben Collagen von der Hand des Autors. Frankfurt a. M. (Suhrkamp) 1960 (= Tausenddruck 3) – Taschenbuchausgabe: Frankfurt a. M. 1964 (= edition suhrkamp 35)

Abschied von den Eltern. Erzählung. Frankfurt a. M. (Suhrkamp) 1961 – Taschenbuchausgabe: Frankfurt a. M. 1964 (= edition suhrkamp 85)

Fluchtpunkt. Roman. Frankfurt a. M. (Suhrkamp) 1962 – Taschenbuchausgabe: Frankfurt a. M. 1965 (= edition suhrkamp 125)

Das Gespräch der drei Gehenden. Fragment. Frankfurt a. M. (Suhrkamp) 1963 (= edition suhrkamp 3)

August Strindberg: Ein Traumspiel. Deutsch von Peter Weiss. Frankfurt a. M. (Suhrkamp) 1963 (= edition suhrkamp 25)

Die Verfolgung und Ermordung Jean Paul Marats dargestellt durch die Schauspielgruppe des Hospizes zu Charenton unter Anleitung des Herrn de Sade. Drama in 2 Akten. Frankfurt a. M. (Suhrkamp) 1964 (= edition suhrkamp 68)

Die Ermittlung. Oratorium in 11 Gesängen. Frankfurt a. M. (Suhrkamp) 1965 – Lizenzausgabe: Berlin/DDR (Rütten & Loening) 1965 – Taschenbuchausgabe: Reinbek (Rowohlt) 1969 (rororo 1192)

Nacht mit Gästen. Eine Moritat. Mit Original-Holzschnitten von Günter Stiller. Wiesbaden (Offizin Parvus) 1966 (= Blockbuch 2)

Vietnam. Berlin (Voltaire) 1967 (= Voltaire Flugschriften 1)

Diskurs über die Vorgeschichte und den Verlauf des langandauernden Befreiungskrieges in Viet Nam als Beispiel für die Notwendigkeit des bewaffneten Kampfes der Unterdrückten gegen die Unterdrücker sowie über die Versuche der Vereinigten Staaten von Amerika die Grundlagen der Revolution zu vernichten. Wissenschaftliche Mitarbeit: Jürgen Horlemann. Frankfurt a. M. (Suhrkamp) 1968 – Lizenzausgabe: Berlin/DDR (Rütten & Loening) 1968

Bericht über die Angriffe der US-Luftwaffe und -Marine gegen die demokratische Republik Viet Nam nach der Erklärung Präsident Johnsons über die begrenzte Bombardierung am 31. März 1968. Mit Gunilla Palmstierna-Weiss. Frankfurt a. M. (Voltaire) 1968 (= Voltaire-Flugschriften 23)

Gesang vom Lusitanischen Popanz. Stück mit Musik in 2 Akten. Berlin/DDR (Rütten & Loening) 1968

Notizen zum kulturellen Leben der Demokratischen Republik Viet Nam. Frankfurt a. M. (Suhrkamp) 1968

Dramen. 2 Bände. Frankfurt a. M. (Suhrkamp) 1968. (Darin: Der Turm, Die Versicherung, Nacht mit Gästen, Wie dem Herrn Mockinpott das Leiden ausgetrieben wird, Marat/Sade, Die Ermittlung, Lusitanischer Popanz, Viet Nam Diskurs)

Rapporte. Frankfurt a. M. (Suhrkamp) 1968 (= edition suhrkamp 276). (Darin: Avantgarde Film, Der große Traum des Briefträgers Cheval, Aus dem Kopenhagener Journal, Gegen die Gesetze der Normalität, Aus dem Pariser Journal, Meine Ortschaft, Vorübung zum dreiteiligen Drama divina commedia, Gespräch über Dante, Laokoon oder über die Grenzen der Sprache)

Trotzki im Exil. Stück in 2 Akten. Frankfurt a. M. (Suhrkamp) 1970 (= Bibliothek Suhrkamp 255)

Hölderlin. Stück in 2 Akten. Frankfurt a. M. (Suhrkamp) 1971 (= Bibliothek Suhrkamp 297) – Lizenzausgabe: Berlin/DDR (Henschel) 1975

Rapporte 2. Frankfurt a. M. (Suhrkamp) 1971 (= edition suhrkamp 444). (Darin: Unter dem Hirseberg, 10 Arbeitspunkte eines Autors in der geteilten Welt, Antwort auf einen Offenen Brief von Wilhelm Girnus, Brief an H. M. Enzensberger, Antwort auf eine Kritik zur Stockholmer Aufführung der ‹Ermittlung›, Vietnam!, Antwort auf Kritiken zum Vietnam-Aufsatz, Der Sieg, der sich selbst bedroht, Offener Brief an den Tschechoslowakischen Schriftstellerverband, Che Guevara!, Notizen zum dokumentarischen Theater, Offener Brief an Lew Ginsburg, Die Luftangriffe der USA am 21. 11. 1970 auf die Demokratische Republik Viet Nam)
Gesang vom Lusitanischen Popanz. Mit Materialien. Frankfurt a. M. (Suhrkamp) 1974 (= edition suhrkamp 700)
Hermann Hesse: Kindheit eines Zauberers. Ein autobiographisches Märchen. Handgeschrieben, illustriert und mit einer Nachbemerkung versehen von Peter Weiss. Frankfurt a. M. (Insel) 1974 (= insel taschenbuch 67)
Die Ästhetik des Widerstands. Roman. Erster Band. Frankfurt a. M. (Suhrkamp) 1975
Stücke I. Frankfurt a. M. (Suhrkamp) 1976 (= edition suhrkamp 833). (Darin: Nacht mit Gästen, Der Turm, Die Versicherung, Mockinpott, Marat/Sade) – Lizenzausgabe: Berlin/DDR (Henschel) 1977
Stücke II,1 und II,2. Frankfurt a. M. (Suhrkamp) 1977 (= edition suhrkamp 910). (Darin: Lusitanischer Popanz, Viet Nam Diskurs, Hölderlin, Trotzki im Exil, Der Prozeß)
Hermann Hesse: Der verbannte Ehemann oder Anton Schivelbeyn's ohnfreywillige Reisse. Handgeschrieben und illustriert von Peter Weiss. Frankfurt a. M. (Insel) 1977 (= insel taschenbuch 260)
Die Ästhetik des Widerstands. Roman. Zweiter Band. Frankfurt a. M. (Suhrkamp) 1978
Die Ästhetik des Widerstands. Roman. Dritter Band. Frankfurt a. M. (Suhrkamp) 1981
Notizbücher. 1971–1980. 2 Bände. Frankfurt a. M. (Suhrkamp) 1981 (= edition suhrkamp 1067)
August Strindberg: Drei Stücke in der Übertragung von Peter Weiss. Der Vater, Fräulein Julie, Ein Traumspiel. Frankfurt a. M. (Suhrkamp) 1981
Notizbücher. 1960–1971. 2 Bände. Frankfurt a. M. (Suhrkamp) 1982 (= edition suhrkamp 1135)
Die Ästhetik des Widerstands. Roman. Frankfurt a. M. (Suhrkamp) 1983 (= Weiße Reihe)
Die Ästhetik des Widerstands. Roman. 3 Bände. Berlin/DDR (Henschel) 1983 (Lizenzausgabe)
Der neue Prozeß. Stück in drei Akten. Frankfurt a. M. (Suhrkamp) 1984 (= edition suhrkamp 1215)

3. Dokumentationen, Gespräche, Briefe

anon.: Warum verkroch sich Hölderlin im Turm? Spiegel-Interview mit dem Dramatiker Peter Weiss. In: Der Spiegel Nr. 38/1971, S. 166
Filmkritik 25 (1981), H. 6: Über Peter Weiss
Fischer-Defoy, Christine: Gespräch mit Gunilla Palmstierna-Weiss, 20. November 1984. In: Spuren der Ästhetik des Widerstands. Berliner Kunststudenten im Widerstand 1933–1945 (Ausstellungskatalog). Berlin (Hochschule der Künste) 1984. o. S.
Gerlach, Rainer, und Matthias Richter (Hg.): Peter Weiss im Gespräch. Frankfurt a. M. 1986 (= edition suhrkamp 1303)

Girnus, Wilhelm, und Werner Mittenzwei: Gespräch mit Peter Weiss. In: Sinn und Form 17 (1965), H. 5, S. 678–688
Hesse, Hermann: Briefe. Erweiterte Ausgabe, Frankfurt a. M. 1964 (= Bücher der Neunzehn 117)
Hesse, Hermann: Gesammelte Briefe. Dritter Band 1936–1948. Frankfurt a. M. 1982
Hoffmann, Raimund: Peter Weiss. Malerei, Zeichnungen, Collagen. Berlin/DDR (Henschel) 1984 (Darin u. a. Auszüge aus den Briefwechseln mit Hermann Hesse, Hermann Levin Goldschmidt, Robert Jungk)
Kässens, Wend, und Michael Töteberg: Gespräch mit Peter Weiss. Über die «Ästhetik des Widerstands». In: Sammlung 2 (1979), S. 222–228
Lodemann, Jürgen: Fernsehgespräch mit Peter Weiss. In: Literatur-Magazin. 3. Programm Südwestfunk, 10. 9. 1981. Unveröffentlichte Nachschrift des Autors (Teilabdruck: Jeder Mensch, der denken kann, kann auch weiterdenken. Jürgen Lodemann im Gespräch mit Peter Weiss. In: Deutsche Volkszeitung, 17. 9. 1981, S. 14)
Der Maler Peter Weiss. Bilder, Zeichnungen, Collagen, Filme. Redaktion: Peter Spielmann, Museum Bochum 1980. 2. Aufl. Berlin (Frölich & Kaufmann) 1981 (Darin u. a. vorher ungedruckte Frühschriften aus den Jahren 1936–39: «Skruwe», «Die Insel», «Die Gezeiten», «Traktat von der ausgestorbenen Welt»)
Sucher, C. Bernd: «Man benutzt die Institutionen, um gegen sie zu kämpfen». Peter Weiss äußert sich über sein neues Stück. Sucher. In: Süddeutsche Zeitung, 27./28. 3. 1982
Suhrkamp, Peter: Brief an Peter Weiss. In: Suhrkamp, Briefe an die Autoren. Frankfurt a. M. 1961. S. 55–58

4. Monographien, Sammelbände

Beckermann, Thomas, und Volker Canaris (Hg.): Der andere Hölderlin. Materialien zum ‹Hölderlin›-Stück von Peter Weiss. Frankfurt a. M. 1972
Best, Otto F.: Peter Weiss. Vom existentialistischen Drama zum marxistischen Welttheater. Eine kritische Bilanz. Bern–München 1971
Braun, Karlheinz (Hg.): Materialien zu Peter Weiss' ‹Marat/Sade›. Frankfurt a. M. 1967
Canaris, Volker (Hg.): Über Peter Weiss. Frankfurt a. M. 1970
Geiger, Heinz: Widerstand und Mitschuld. Zum deutschen Drama von Brecht bis Weiss. Düsseldorf 1973
Gerlach, Rainer (Hg.): Peter Weiss. Frankfurt a. M. 1984
Götze, Karl-Heinz, und Klaus R. Scherpe (Hg.): Die ‹Ästhetik des Widerstands› lesen. Über Peter Weiss. Berlin 1981
Grimm, Christa: Peter Weiss – ein Schriftsteller in der Entscheidung. Diss. Leipzig 1975
Haiduk, Manfred: Der Dramatiker Peter Weiss. Berlin/DDR 1977
Hilzinger, Klaus Harro: Die Dramaturgie des dokumentarischen Theaters. Tübingen 1976
Hocke, Thomas: Artaud und Weiss. Untersuchungen zur theoretischen Konzeption des ‹Theaters der Grausamkeit› und ihrer praktischen Wirksamkeit in Peter Weiss' ‹Marat/Sade›. Frankfurt a. M.–Bern–Las Vegas 1978
Kehn, Wolfgang: Von Dante zu Hölderlin. Traditionswahl und Engagement im Werk von Peter Weiss. Köln–Wien 1975
Keller-Schumacher, Brigitte: Dialog und Mord: Eine Interpretation des ‹Marat/Sade› von Peter Weiss. Frankfurt a. M. 1973
Krause, Rolf D.: Faschismus als Theorie und Erfahrung. ‹Die Ermittlung› und ihr Autor Peter Weiss. Frankfurt a. M.–Bern 1982

Lüttmann, Helmut: Die Prosawerke von Peter Weiss. Hamburg 1972
Meier, Reinhard: Peter Weiss: Von der Exilsituation zum politischen Engagement. Zürich 1971
Müssener, Helmut: Exil in Schweden. Politische und kulturelle Emigration nach 1933. München 1974
Neumann, Bernd: Identität und Rollenzwang. Zur Theorie der Autobiographie. Frankfurt a. M. 1970
Paul, Ulrike: Vom Geschichtsroman zur politischen Diskussion. Über die Desintegration von Individuum und Geschichte bei Georg Büchner und Peter Weiss. München 1974
Redeker-Thurm, Brigitte: Peter Weiss – Dramatiker des Übergangs. Untersuchungen zur Schaffensperiode von 1963 bis 1967. Diss. Berlin/DDR 1969
Rischbieter, Henning: Peter Weiss. 2. Aufl. Velber 1974
Römer, Christine: Hölderlin als Zeitgenosse. Zur Erberezeption bei Peter Weiss. Diss. Jena 1980
Salloch, Erika: Peter Weiss' ‹Die Ermittlung›. Zur Struktur des Dokumentar-Theaters. Frankfurt a. M. 1972
Sareika, Rüdiger: Die Dritte Welt in der westdeutschen Literatur der sechziger Jahre. Frankfurt a. M. 1980
Schmitt, Maria C.: Peter Weiss, ‹Ästhetik des Widerstands›. Studien zu Kontext, Struktur und Kunstverständnis. St. Ingbert 1986
Schmitz, Ingeborg: Dokumentartheater bei Peter Weiss. Von der ‹Ermittlung› zu ‹Hölderlin›. Frankfurt a. M.–Bern–Cirencester 1981
Schulz, Genia: «Die Ästhetik des Widerstands» – Versionen des Indirekten in Peter Weiss' Roman. Stuttgart 1986
Stephan, Alexander (Hg.): Die Ästhetik des Widerstands. Frankfurt a. M. 1984
Taberner-Prat, Josemaria: Über den ‹Marat/Sade› von Peter Weiss. Artistische Kreation und rezeptive Mißverständnisse. Stuttgart 1976
Text und Kritik. H. 37: Peter Weiss. 2. Aufl. 1982
Vormweg, Heinrich: Peter Weiss. München 1981
Weinreich, Gerd: Peter Weiss' ‹Marat/Sade›. Frankfurt a. M.–Berlin–München 1974

5. Aufsätze, Theater- und Literaturkritik

anon.: Weiss-Premiere. Sein Herr Marquis. In: Der Spiegel Nr. 19/1964, S. 113
anon.: Der «Fall» Peter Weiss. In: Kürbiskern, H. 1/1965, S. 95–101
anon.: Weiss. Gesang von der Schaukel. In: Der Spiegel Nr. 43/1965, S. 152f
anon.: Weiss-Premieren. Schock und Schweigen. In: Der Spiegel, Nr. 44/1965, S. 151f
Andersch, Alfred: Wie man widersteht. Reichtum und Tiefe von Peter Weiss. In: Andersch, Öffentlicher Brief an einen sowjetischen Schriftsteller, das Überholte betreffend. Reportagen und Aufsätze. Zürich 1977. S. 143–153
Avantgarde – Arbeiterklasse – Erbe. Gespräch zu Peter Weiss' ‹Die Ästhetik des Widerstands›. In: Sinn und Form, H. 1/1984, S. 68–97
Baier, Lothar: Kommentar zu Peter Weiss' «Meine Ortschaft». In: Freibeuter 1 (1975), S. 103–106
Baumgart, Reinhard: Musical für Staatstheater. Über Peter Weiss: «Die Verfolgung und Ermordung des Jean Paul Marat». In: Der Spiegel Nr. 25/1964, S. 82
Baumgart, Reinhard: Ein rot geträumtes Leben. Peter Weiss legt den ersten Teil einer «Wunschautobiographie» vor. In: Süddeutsche Zeitung, 25./26. 10. 1975

BENGTSSON, JAN CHRISTER: Peter Weiss als Filmemacher. In: Ausblick. Zeitschrift für deutsch-skandinavische Beziehungen 3/4 (1984), H. 3/4, S. 5–8

BENGTSSON, JAN CHRISTER: «Vernichtungsinstitutionen». Über ein Thema bei Peter Weiss. Typoskript 1985. 73 S.

BENGTSSON, JAN CHRISTER: Peter Weiss über Film und Filmschaffen, Typoskript o. J., S. 11

BERGENGRUEN, WERNER: Peter Weiss. Laudatio. In: BERGENGRUEN, Mündlich gesprochen. Zürich 1963. S. 209–212

BÖLL, HEINRICH: Der fragende Reporter. Über Alfred Anderschs Reportagen, Aufsätze, Reden. In: BÖLL, Werke. Essayistische Schriften und Reden 3. Köln 1978. S. 429–433

BUCH, HANS-CHRISTOPH: Seine Rede ist: Ja ja, nein nein. Über Peter Weiss: «Die Ästhetik des Widerstands». In: Der Spiegel Nr. 47/1978, S. 258f

CANARIS, VOLKER: Schwierigkeiten mit einem großen Stück. «Hölderlin»-Inszenierungen in Stuttgart, Hamburg, Berlin. In: Theater heute, H. 11/1971, S. 28–32

ENZENSBERGER, HANS MAGNUS: Peter Weiss: «Fluchtpunkt». In: Der Spiegel, Nr. 49/1962, S. 116f

ENZENSBERGER, HANS MAGNUS: Europäische Peripherie. In: Kursbuch 2 (1965), S. 154–173

ENZENSBERGER, HANS MAGNUS: Peter Weiss und andere. In: Peter Weiss und Hans Magnus Enzensberger: Eine Kontroverse. In: Kursbuch 6 (1966), S. 171–176

ESSLIN, MARTIN: «Die Ermittlung» und die Grenzen des Dramas. In: Die Weltwoche, 20. 10. 1965

FINGERHUT, KARLHEINZ: Produktive Rezeption – Peter Weiss' Versuche, Kafka zu verstehen. In: Diskussion Deutsch 9 (1978), H. 41, S. 249–262

FISCHER, LUDWIG: Dokument und Bekenntnis oder Von der Schwierigkeit, durchs Schreiben ein Sozialist zu werden. Erwägungen zum schriftstellerischen Weg des Peter Weiss. In: Text & Kontext 5 (1977), H. 1, S. 73–124

GIRNUS, WILHELM: (Laudatio). In: Heinrich-Mann-Preis für Peter Weiss. In: Mitteilungen der Deutschen Akademie der Künste zu Berlin 4 (1966), Nr. 3, S. 8f

GÖTZE, KARL-HEINZ: Trümmerexistenz. Frühe Arbeiten von Peter Weiss. In: Frankfurter Rundschau, 15. 3. 1986

GRIMM, REINHOLD: Blanckenburgs «Fluchtpunkt» oder Peter Weiss und der deutsche Bildungsroman. In: Basis 2 (1971), S. 234–245

HABERMAS, JÜRGEN: Die Moderne – ein unvollendetes Projekt. In: HABERMAS, Kleine Politische Schriften. I–IV. Frankfurt a. M. 1981. S. 444–464

HENSING, DIETER: Die Position von Peter Weiss in den Jahren 1947–1965 und der Prosatext «Der Schatten des Körpers des Kutschers». In: Amsterdamer Beiträge zur neueren Germanistik 2 (1973), S. 137–187

HERCHENRÖDER, CHRISTIAN: Kein Revolutionär der Tat. Zur Uraufführung des «Hölderlin» von Peter Weiss. In: Handelsblatt, 24./25. 9. 1971

HIEKISCH-PICARD, SEPP: «... in den Vorräumen eines Gesamtkunstwerks». Anmerkungen zum Zusammenhang zwischen schriftstellerischem, filmischem und bildkünstlerischem Werk bei Peter Weiss. In: Kürbiskern, H. 2/1985, S. 116–127

JÄGER, MANFRED: Eine Entdeckung der Gesellschaft. Über politische Klartexte des Peter Weiss und ihre Aufnahme in der DDR. In: Text + Kritik, H. 37: Peter Weiss, 1. Aufl. 1973, S. 26–40

JENS, WALTER: Fünf Minuten großes politisches Theater. In: Die Zeit, 29. 3. 1968

JHERING, HERBERT: Auschwitz, Peter Weiss, Piscator und Gorki. In: Die andere Zeitung, 28. 10. 1965

KAISER, JOACHIM: Plädoyer gegen das Theater-Auschwitz. In: Süddeutsche Zeitung, 4./5.9.1965
KAISER, JOACHIM: Vietnam oder: Die Bühne als politische Anstalt. In: Süddeutsche Zeitung, 22.3.1968
KLOTZ, VOLKER: Theater im Theater im Theater. Uraufführung von Peter Weiss' «Die Verfolgung und Ermordung des Jean Paul Marats, dargestellt durch die Schauspielgruppe des Hospizes zu Charenton unter Anleitung des Herrn de Sade» im Schiller-Theater. In: Spandauer Volksblatt, 1.5.1964
KLOTZ, VOLKER: Keine Einsicht entsteht, nur Verstörung. In: Frankfurter Rundschau, 21.10.1965
KLOTZ, VOLKER: Angola zum Beispiel. Deutsche Erstaufführung von Weiss' «Popanz» in der West-Berliner Schaubühne. In: Frankfurter Rundschau, 9.10.1967
KOEPPEN, WOLFGANG: Peter Weiss und der Widerstand. In: KOEPPEN, Die elenden Skribenten. Hg. v. MARCEL REICH-RANICKI. Frankfurt a. M. 1984, S. 222–225
KURELLA, ALFRED: Zwischen Desinformation und Denkklischees. In: Neue deutsche Literatur, H. 12/1968, S. 178–180
LILIENTHAL, VOLKER: Literaturkritik als ästhetische Justiz. Zur Kritik der massenmedialen Rezeption der «Ästhetik des Widerstands» von Peter Weiss. In: Die Horen 27 (1982), H. 125, S. 123–140
LUFT, FRIEDRICH: Verrückte spielen Weltgeschichte nach. Peter Weiss' Geniestreich: «Die Verfolgung und Ermordung Jean Paul Marats» – Uraufführung im Schillertheater. In: Die Welt, 2.5.1964
MAURER, KARL: Peter Weiss, «Marat/Sade» – Dichtung und Wirklichkeit. In: Poetica 4 (1971), S. 361–377
MECKEL, CHRISTOPH: Der Kampf ist der rote Faden in seinem Gewebe. Laudatio anläßlich der Verleihung des Bremer Literaturpreises. In: Frankfurter Rundschau, 13. Mai 1982
MITTENZWEI, WERNER: Ästhetik des Widerstands. Gedanken zu dem Versuch, eine ästhetische Kategorie für die Kunstentwicklung während des Kampfes gegen den Faschismus zu begründen. In: Sitzungsberichte der Akademie der Wissenschaften der DDR, Nr. 7/G, 1979, S. 3–19
MÜSSENER, HELMUT: Max Barth alias Max B. alias Max Bernsdorf. Miszellen zu ‹Dichtung und Wirklichkeit› in «Abschied von den Eltern» und «Fluchtpunkt» von Peter Weiss. In: Germanistische Beiträge. Gerd Melbourn zum 60. Geburtstag. Stockholm 1972. S. 199–219
NÄGELE, RAINER: Zum Gleichgewicht der Positionen. Reflexionen zu «Marat/Sade» von Peter Weiss. In: Basis 5 (1974), S. 150–164
NAGEL, IVAN: Informationen über einen Autor und Kommunisten. «Trotzki im Exil» von Peter Weiss in Düsseldorf uraufgeführt. In: Süddeutsche Zeitung, 22.1.1970
NIEHOFF, KARENA: Die Ermordung des Jean Paul Marat. Peter Weiss' neues Theaterstück wurde in Berlin erfolgreich uraufgeführt. In: Süddeutsche Zeitung, 2./3.5.1964
PALMSTIERNA-WEISS, GUNILLA: Georg Büchner, Peter Weiss und der ästhetische Widerstand. Dankrede zur Verleihung des Büchner-Preises an Peter Weiss. In: Schreibheft Nr. 20 (1982), S. 25–27
PIETZCKER, CARL: Individualistische Befreiung als Kunstprinzip. «Das Duell» von Peter Weiss. In: JOHANNES CREMERIUS (Hg.), Psychoanalytische Textinterpretation. Frankfurt a. M. 1974, S. 208–246
PLAVIUS, HEINZ: Peter Weiss, Marat und die soziale Revolution. Ein Grenzfall des Nonkonformismus. In: Neue deutsche Literatur 13 (1965), H. 9, S. 159–168

RADDATZ, FRITZ J.: Blasen aus der Wortflut. Der zweite Band von Peter Weiss: «Ästhetik des Widerstands». In: Die Zeit, 17.11.1978

RADDATZ, FRITZ J.: Abschied von den Söhnen? Kein Fresko, sondern ein Flickerlteppich. Zum Abschluß der Romantrilogie. In: Die Zeit, 8.5.1981

RECTOR, MARTIN: Peter Weiss, «Die Besiegten». In: Norddeutscher Rundfunk (3. Programm), 1986 (Manuskript)

RICHTER, DIETER: «Mucki war mein frühestes Abbild...» Über eine Kindheitserinnerung von Peter Weiss. In: BERNHARD DOPPLER (Hg.), Kindheit – Kinderlektüre. Wien 1984. S. 185–190

RISCHBIETER, HENNING: Da ist das deutsche Drama! Peter Weiss' «Marat» im Schiller-Theater. In: Theater heute, H. 6/1964, S. 20f

RISCHBIETER, HENNING: Die Kafka-Stadien des Peter Weiss. In: Theater heute, H. 7/1975, S. 38

RUMLER, FRITZ: «Macht Peter Weiss große Löcher?». Über die Düsseldorfer Theater-Eröffnung. In: Der Spiegel, Nr. 5/1970, S. 134

SANDER, HANS-DIETER: Das Ende eines «dritten Weges». Peter Weiss und seine politischen Metamorphosen. In: Die Welt, 18.9.1965

SCHÄBLE, GUNTER: Das Oktober-Fest. Uraufführung in Düsseldorf: Peter Weiss' «Trotzki im Exil». In: Stuttgarter Zeitung, 22.1.1970

SÖLLNER, ALFONS: Kritik totalitärer Herrschaft. Rationalität und Irrationalität in Peter Weiss' «Ästhetik des Widerstands». In: CHRISTA BÜRGER (Hg.), «Zerstörung, Rettung des Mythos durch Licht». Frankfurt a. M. 1986. S. 179–197

SONTAG, SUSAN: Marat/Sade/Artaud. In: SONTAG, Kunst und Antikunst. Reinbek 1968. S. 167–176

UEDING, GERT: Der verschollene Peter Weiss. «Die Ästhetik des Widerstands», Teil zwei. In: Frankfurter Allgemeine Zeitung, 9.12.1978

VORMWEG, HEINRICH: Die Wörter und die Welt. In: VORMWEG, Die Wörter und die Welt. Über neue Literatur. Neuwied–Berlin 1968. S. 26–38

ZEHM, GÜNTHER: Gehirnwäsche auf der Bühne. In: Die Welt, 25.10.1965

Namenregister

Die kursiv gesetzten Zahlen bezeichnen die Abbildungen

Danksagung

Mein herzlicher Dank für die großzügige Überlassung von Dokumenten und Informantionen gilt Frau Gunilla Palmstierna-Weiss, Frau Irene Eklund-Weiss, Frau Helga Henschen, Herrn Prof. Dr. Hermann Levin-Goldschmidt; für vielfache Unterstützung Herrn Jan Christer Bengtsson.

Über den Autor

Jochen Vogt, geboren 1943 in Karlsruhe, seit 1973 Professor im Fachbereich Literatur- und Sprachwissenschaften der Universität Essen – Gesamthochschule. Hauptarbeitsgebiete: Deutsche Literatur des 20. Jahrhunderts, internationale Spannungsliteratur. Bücher u. a. über Hans Henny Jahnn, Thomas Mann, Heinrich Böll; Literaturdidaktik, Kriminalliteratur. Aufsätze über Heinrich Mann, Ernst Bloch, Bertolt Brecht, Peter Weiss, Alexander Kluge u. a.

Quellennachweis der Abbildungen

Helga Henschen: 6, 41, 46, 50
Jan Christer Bengtsson: 8, 42/43, 44, 56, 126
Aus: Der Maler Peter Weiss, Katalog Museum Bochum, Berlin o. J.: 11, 12, 14, 18, 23, 26, 30, 36, 39, 48, 66, 128 oben
Irene Eklund-Weiss: 17, 20, 21, 28, 34
Sammlung Jochen Vogt: 19, 81, 111, 119
Aus: Raimund Hoffmann, Peter Weiss, Malerei, Zeichnungen, Collagen, Berlin 1984: 33, 130/131
Aus: Peter Weiss, Notizbücher 1971–1980, Bd. 1, Frankfurt 1981: 40, 125
Aus: Peter Weiss, Notizbücher 1960–1971, Bd. 2, Frankfurt 1982: 75
Gustaf Mandal, Stockholm: 53
Aus: Peter Weiss, Avantgardefilm, Stockholm 1956: 59
Reportagebild: 62
Klaus Wagenbach: 79
Akademie der Künste, Berlin: 92
Ullstein-Bilderdienst, Berlin: 120
Archiv für Kunst und Geschichte, Berlin: 122
Aus: Herbert Wehner, Zeugnis, hg. von Gerhard Jahn, Köln 1982: 123
Aus: Ruth Berlau, Brechts LAI-TU, Erinnerungen und Notate, Darmstadt 1985: 124

Sepp Hiekisch-Picard: 132

Alle übrigen Vorlagen stellte uns Frau Gunilla Palmstierna-Weiss zur Verfügung